Принцесса стиля
МАРИНА ПАЛЕЙ

Роман-памфлет }

Жора
Жирняго

ЭКСМО
Москва

УДК 82-3
ББК 84(2Рос-Рус)6-4
    П 14

Художественное оформление серии *П. Петрова*

Фотография автора: Raphael

Идея оформления переплета: © Марина Палей

Палей М.

П 14   *Жора Жирняго* : роман-памфлет / Марина Палей. — М. : Эксмо, 2012. — 320 с. — (Принцесса стиля).

ISBN 978-5-699-59231-9

Жанр памфлета, к сожалению, не получил в России широкого развития: его придушила цензура. «Путешествие из Петербурга в Москву» Радищева, «Философские письма» Чаадаева, «Помпадуры и помпадурши» Салтыкова-Щедрина — вот, пожалуй, и всё. Русский памфлет был осужден на эмиграцию...

Марина Палей восполняет этот пробел — развивая уникальный жанр. Читатели «Жоры Жирняго» получают «счастливый билет» для проникновения в неизведанный, полный приключений мир русского памфлета.

Роман значительно переработан автором — специально для данного издания.

УДК 82-3
ББК 84(2Рос-Рус)6-4

ISBN 978-5-699-59231-9

Все лица и событыя являются вымышленными, все совпадения случайны.

«— England is the birthplace of hypocrites».

Oscar Wilde

«— In such a case, the Fig (Smokva) is colony of England»[1].

Thomas Splinter

МОЙ ТЕАТР
(вместо Пролога)

Было бы враньем утверждать, что я сочинял нижеследующие записки «дождливыми вечерами», как это, по его словам, делал изобретатель нимфетки, заполняя словесной безделицей досадный простой в охоте на бабочек. Кстати сказать, я люблю в том авторе абсолютно всё, включая дребезжащую сентиментальность его стихов, браваду несущего остракизм принца, аррогантные розыгрыши... Вот, например, всего несколько строк из того же текста — несколько слов о «касбимском парикмахере» — стоили ему, как пишет в Послесловии он сам, «месяц труда», а ведь при таком (достойном атлантов) подходе к делу очень сомнительно, чтобы бесценная золотая парча ткалась исключительно «дождливыми вечерами». То есть это, может быть, и осуществимо,

---

[1] «— Англия — родина лицемеров» *(Оскар Уайльд)*. «— В таком случае Смоква — колония Англии» *(Томас Сплинтер)*.

но тогда автор, в романах своих выдающий на-го-ра совершенство, совершенство, ничего, кроме совершенства, должен бы прежде всего транс-формироваться в Арахну (уже на стадии паука), — потому что для исполнения такой работы требу-ется Вечность.

Впрочем, какая мне разница? Я только хочу сказать, что писал свою книгу не в перекурах ме-жду ловлей бабочек, а в перерывах спектаклей. То есть: не «между спектаклями», а между их дей-ствиями. Моя книга отнюдь не совершенна, а по-тому дробный способ ее рождения вряд ли пока-жется кому-нибудь баснословным. Ну да, как раз в те пятнадцать-двадцать минут, когда публика, выпивая, закусывая и сплетничая, законно полу-чает свой альтернативный кайф — или единствен-но возможный катарсис. И вот, не успевал еще полностью закрыться занавес, я мчался изменять Мельпомене — только не знаю, с кем именно, по-тому что никак себе не представляю, которая бы из аонид рискнула патронировать мой текст. Воз-можно, в компании Аполлона таковой просто нет. Тогда кто же покровительствует моей кни-ге? Неужели никто? Как это страшно! Лучше не думать... И все же: какая именно сила владеет то-гда кибордом моего сердца? Сейчас снова на сце-ну, я слышу первый звонок...

Мне надо успеть, поэтому буду краток. Я зага-дал, что если успею закончить это Вступление (которое пишу в последнюю очередь, так как весь фолиант, между нами, уже готов), — итак, если успею закончить его до начала последнего акта, то... то тогда... (мысленно я уже всё назвал).

В прошлом я был (-а), смешно сказать, беллетристом — а еще допреж того — кромсал (-а) в лаборатории лягушек, пташек, червей — шинковал (-а) белых мышей — прямо-таки как разнузданно-маниакальный Базаров, о чем горько сейчас сожалею. Да, так вот: был (-а) после того беллетристом, притом, о господи, кажется, женского гендера-пола, во что трудно поверить сейчас мне самому. И вот однажды, от одного очень авторитетного лица литературы, схлопотал (-а) я в свой адрес такой диагноз: ты — писатель Смоквы-державы, *и никем ты больше уже не будешь.*

Богини! Эринии! Я испытал (-а) убойный ужас. Словами его передать невозможно. Этот эпизод так и остался в моей памяти одним из наимощнейших кошмаров.

...Через полгода у меня уже был другой пол, другое гражданство, другое имя, я сносно говорил по-испански и работал у одного жуира-конно-заводчика в живописном аргентинском местечке Veguero, недалеко от города Mar del Plata (знаменитого, кстати сказать, водными феериями с дельфинами, морскими котиками и акулами).

Второй звонок!..

Потом были дюжины других контрактов, других стран, работа по-черному, безработица, клошарство, сума, тюрьма, воля и добровольное анахоретство, дичайший разврат, война, плен, шансонирование в кабаре. Но вот уже пару лет я располагаю более-менее сносным ангажементом в амстердамском театре «De Metamorfose».

И все, вроде бы, идет успешно. Но что же тогда подвигло меня снова, пяля зерцала души своей на дисплей, нещадно обламывать их о кириллические закорючки? Причиной тому, скорее всего, был приговор моего театрального импресарио, который он (маленько подразмякнув после одной очень удачной премьеры и двух рюмок своего любимого rode porto) вынес мне со всем своим простодушием — разумеется, не ведая — абсолютно не ведая, что творит.

Он сказал: ты — классный актер, Том, классный амстердамский актер, *и никем ты больше уже не будешь.*

Третий звонок. Я успел.

— 1 —
Жгучие тайны генов: «код Жирняго»

Родословная Георгия Елисеевича Жирняго (Жоры Жирняго), хваткого смоквенского беллетриста, перебравшегося в первопрестольную Смокву из Петрославля, восходит к не менее продувному петрославльскому вельможе начала XVIII-го века, получившему дворянство в награду за подлость.

Звали того сановника Петром Аристарховичем Жирняго; речь о нем пойдет позже. Любопытно, что, ежели проследить родословную семейства Жирняго, — то есть, с помощью крупной энтомологической лупы, рассмотреть подетально этот раскидистый генеалогический баобаб, насчитывающий уже три столетия и отягченный несметными плодами (все Жирняго, особенно по мужской линии, отличались неуемным сластолюбием), то мы *не сможем не заметить* (дагерротипы и фотографии яблочек будут густо-густо покрывать толстые ветви), что фатальный признак, пошедший, собственно говоря, им в фамилию, придавший бесформенности их телам и четко впечатанный в выражения физиономий — сохранялся в течение трех сотен лет на удивление стойко.

Мы сознательно не называем этот признак «внешним», поскольку, слегка посвященные в тайны человеческого кода (генетический бум не миновал даже гуманитариев), понимаем, что эти отступления в экстерьере от некой приемлемой душою и глазом нормы, — иными словами, сбитые из грубых узлов жира, корытообразные лики всех представителей семейства Жирняго, — являются только поверхностным проявлением некой глубинной поломки. С другой стороны, не будучи такими уж закоренелыми атеистами (каковыми, кстати, в угоду прошлому веку, являлись все отпрыски семейства Жирняго, во главе с ключевой, наиболее ловкой фигурой рода, А. Н. Ж.), мы понимаем, что и генетическая патология сугубо вторична, коль принять на веру первопричинность Замысла. Но здесь неизбежно возникает подковыристый вопрос натуралиста (и теософа по совместительству): что, боги, если бурое пятно в окне символизирует вас, боги, хотели вы нам высказать в итоге?

Имеется в виду: ведь генетическая поломка, имеющая своим следствием такие малосимпатичные для жизни и малопригодные для жизнедеятельности свойства, должна была бы естественным образом привести к угасанию линии — иначе говоря, к радикальной отбраковке особей с пониженной жизнеспособностью. Nota bene! Но в том-то и отличие сумрачного, суицидного царства людей от жизнефонтанных царств флоры и фауны, что в популяции человеков жизнеспособность определяется хитрожопостью, лизоблюдством, небрезгливостью и прохиндейством, то есть свойствами сугубо интеллектуальными.

Кроме того, невозможно обойти полочки. Во всяком людском биоценозе (особенно в биоценозе с бездействующими законами и массовым параличом воли) неистребим спрос на иконы, статуи, плакаты, портреты, святые мощи, etc. — и хранится весь этот инвентарь, бесперебойно переходящий в хлам, не иначе как на полочках. Полочки вычерчены, выпилены, свинчены, отшпаклеваны, отлакированы, остеклены и намертво прибиты в строго назначенных местах. Попробуйте-ка нести свои золотые яички где-то вне полочки-полки! Ох!.. Вне полки (пусть даже самой завалящей) золотые яйца (пусть даже страусиные) будут просто крашенная луковой шелухой чепуха.

Названия полочек варьируют, однако диапазон этих названий, ясное дело, не безграничен. Ярлыки следует всенепременнейше принимать к сведению. Ежели вы скачете себе вольно по лесам и долам «неизвестным науке зверем», то есть не заполучившим заранее заготовленную инвентаризационную бирку, — ваше дело, разумеется, швах и полный крандец.

Крандец — не только потому, что на вас в результате не хватит пряника, что (как пишут в некоторых книжках) не смертельно. А смертельно то, что и кнута-то не хватит — то есть вы, будучи при мясе и костях, окажетесь для мира невидимкой. Nota bene! Раздражающим видимых. То есть всех.

Дольний мир, в его массовом воплощении, существует благодаря реестрам памперсово-комиксовых понятий. Эти понятия, коль хочешь *быть увиденным*, необходимо самостоятельно — притом упорно и регулярно — вкладывать в головы ближних и дальних: я, господа, вот кто — *отец семейства, директор гимназии, ректор университета, хозяин предприятия, отец нации, царь, Бог (искание Бога: тоска всякого пса по хозяину; дайте мне начальника, и я поклонюсь ему в огромные ноги)*; я, господа, вот кто — номинировавший, номинирующий, самономинирующийся, номинируемый, финалист, филателист, гомосексуалист, журналист, диджей, лауреат, ренегат, резидент, претендент, президент; я, господа, вот кто — царица ночи, ночная бабочка, королева красоты, фабрика звезд, etc. — какой-то один из ярлыков к вам должен быть прибит неукоснительно, а то, прости господи, так в шапке-невидимке всю жизненку и промытарите. Будь вы размером хотя б и с Годзиллу.

Гениальной чертой представителей рода Жирняго (возможно, ген нездоровой полноты и ген здоровой изворотливости явились в их случае строго-сочетанными) являлось умение *усесться на правильную полочку*. То есть на ту, которая находится в непосредственной близости к ГБ (что следует понимать, ясное дело, не как «Господь Бог», но «Главнейшие Блага»).

Итак: усесться. Устаканиться. Свить мягчайшее железобетонное гнездовище. Выдолбить бункер. Прогрызть альтернативное метро. Забетонировать взлетную площадку для вертолета. На случай чего? На случай всего.

За три столетия, которые насчитывал этот род, в безумной стране не прекращались безумные преобразования. То Петрославль, то населенный пункт Смоква, перетягивая канат, устраивая бои на подушках и пинаясь ногами, назначали себя первопрестольными. (Венец чаще добывала Смоква — возможно, потому, что название данного населенного пункта совпадало с таковым державы.) Сменяли друг друга — где по-тихому, а где откровенно мокрушно — сотни управителей. Бывало так, что прежние возвращались в новых масках. Бывало и так, что прежние — на другой же день после убытия — возвращались и в своей всегдашней маске, но их уже напрочь не помнили, а потому они сходили за новых. Растворялись в небытии, в совершеннейшем забвении такие, казалось бы, эпохальные лица, которые, в бытность свою, тиранили подданных даже в их снах. Резали друг другу веревочки вен закулисные кукловоды; валились в волчьи и выгребные ямы серые кардиналы; накладывали на себя руки отцы церкви; рубились на топорах самозванцы-президенты, претенденты в сенаторы, воскресители мертвых; потчевали друг друга вилами, батогами и паленой водкой бессчетные своры интриганов, шулеров, наперсточников, престидижитаторов, чревовещателей. Головы бывших фаворитов летели с эшафотов, словно капустные кочаны, — музыканты, философы и художники, в которых еще квартировала совесть, в ужасе разлетались по миру, как ружейная дробь, пущенная наобум в облака, — военачальники валились навзничь, как кегли, причем вовсе не на поле брани, — особы высочайшей крови обнаруживали себя *после бала* не где-либо еще, а на нарах, возле параши. Бога упраздняли в декретном порядке, а верующих, с целью формирования материалистического мировоззрения, сажали на кол, — затем Бога восстанавливали во всех правах и, для духоподъемности масс, четвертовали неверующих, затем Бога, как несоответствующего рангу, увольняли с занимаемой должности, применяя к Его адептам воспитательную меру через повешенье, — после чего происходила реабилитация Бога (посмертно); на места депутатов, прокуроров, судей назначались Его ангелы, а неверующих, в порядке живой очереди, высаживали на электрические стулья, вдумчиво выбранные из обширной гуманитарной помощи. (Вот и утверждайте после этого, что смоквенским ойкуменам неведом прогресс.)

Но какая бы эпоха ни наступала, какой бы ветер ни зачинал дуть — гнойный или, напротив того, очистительный, ледяной или огненный, повально-чумной или ландышево-фиалковый, — всякий раз очередной Жирняго, бывший до того фаворитом правителя низвергнутого (сосланного, задушенного, отравленного, обезглавленного, расстрелянного), вовсе не впадал в немилость, а напротив того: становился, как ни в чем не бывало, фаворитом правителя воцарившегося (сославшего, задушившего, отравившего, обезглавившего, расстрелявшего). Злосчастные исключения составили лишь самый первый из рода Жирняго да блаженный петрославльский биохимик — притом лишь крепче подтверждая означенное правило.

Непостижимы генетические твои шалости-закомуристости, матерь-природа! А может, таковыми они и должны быть? Nota bene! Ведь интеллект человеку дан не шуточки шутковать, а для того, чтобы, идя путем дарвинского выживания, пожирать всех прочих-других, а самому оставаться целехоньким. А как же иначе? Это только в лишенном интеллекта растительном и животном царствах вслед за сменой климатических (геологических) эпох неизбежно происходят изменения в эволюционной цепочке: прежние рода угасают, приходят в упадок, хиреют; семейства зверюг, прежде сильных, влиятельных, чуть ли не богоравных, неизбежно барахтаются затем в канализационной Лете, пуская прощальные пузыри... Уходят в небытие, к заоблачному праотцу К. Линнею, отряды хищников, подотряды жвачных, сычужных... Да что там — отряды! Навсегда исчезают с лица Земли — *так и не сумев приспособиться* — целые классы — целые классы живых существ... Исчезают резко, словно их языком вчистую слизнуло! И то понятно: кто блаженствовал при температуре плюс тридцать, те при минус тридцать кайфа уж точно не словят. Даже если попробуют его, этот кайф, ради хорошей мины, сымитировать... И наоборот: у кого было лежбище на льдине и, соответственно, лафа при температуре минус тридцать, — те, под пальмой, при плюс тридцать по тому же Цельсию, божьей благодати уж точно не вкусят.

...Сайентисты утверждают, что после ядерной катастрофы, посреди мертвой, вонючей планетарной пустыни, единственными существами останутся радиорезистентные тараканы и мутировавшие грызуны.

Не думаю.

Не только они.

А на что ж тогда *человеку разумному* — интеллект?

— 2 —

«Все мошенничают, друг мой!»

К упомянутому уже А. Н. Ж., кто расшифровывается как Армагеддон Никандрович Жирняго, зашел как-то на чаёк творивший там же, в Воздусеево, свои госпремиальные эпохалки Валентин Петрониевич Катала.

— А знаешь, Гедоня, — мечтательно начал размягченный Катала, — а знаешь, да я за модный пиджак, за возможность носить добротные ботинки, за право жрать каждый день осетрину или вот эту вот семгу — я ведь не то что любой тебе роман наваляю, я и убить способен...

Кстати сказать, изгнанники скитальцы и поэты конфиденциально шептались, что он-де «из конины сделан». Под стать Пегасу, так надо понимать.

— Да я то же самое за горсть орехов сделаю, — живо откликнулся привыкший во всем лидировать А. Н. Ж.

Выпалил, впрочем, искренне (под водочку). Однако тут же пред его мысленным взором некстати встала дворянская тень Пети Ростова, раздающая офицерам изюм и орехи.

— Да я хоть за стакан семечек — п'жалста, — вовремя скорректировал себя Народный Писатель, слуга пролетариата.

А. Н. был известен в те поры своей громоздкой верноподданической эпопеей (где современный ему супердеспот, Кормчий-Кормилец, благодаря ловкой параллели со знаменитым во времена оны Деспотом-реформатором, был облобызован-облизан — от самой что ни на есть фурункулезной лысины вплоть до порченных тюремным грибком стоп); напечатал он также полдюжины — с пылу с жару — кудряво-боевитых, всегда со свежайшей патокой, баек — небесполезных нынче, по крайней мере, для тех, кто интересуется клонированием. В тех байках красной нитью проходит идея, что ядрёные свойства души, навроде любови до гробовых пелён, верности, чистоты порывов и проч. — присущи лишь, скажем так, *представителям титульной нации*, а остальные высоконедоразвитые этносы-народы, стеная и плача, и посыпая голову пеплом, до конца дней вынуждены довольствоваться своими генетическими обсевками.

Но главной причиной популярности А. Н. Ж. — во всех стратах смоквенского населения — стали бесчисленные о нем анекдоты, в которых, как ни странно, (вовсе не странно!) чувствовалась большая доля почтения, — анекдоты, живописавшие, буквально, мифологическую разнузданность его чревоугодия. И по сей день в народе вспоминается, например, очередная супруга А. Н., вынужденная среди ночи, в одном исподнем, мчаться из Воздусеева в Смокву-град, к самому Тестову, в его Большой Патрикеевский трактир, за копчеными угрями (или нырять за ними по-русалочьи в пруд, а потом и коптить собственноручно?..), — или другая, которая, будучи на сносях, съевши тельное и надевши исподнее, немедля отправляется в ночное — за кумысом от гнедых валдайских кобылиц, — или же третья Бавкида, кормящая мать, совсем девочка, дни и ночи приготовлявшая яйца по-китайски, то есть с календарем в руках закапывавшая и, в нужный срок, выкапывавшая серые слепые овалы, кои высевались затем озимыми и яровыми... И вот так — до самого горизонта, плотно начиненные куриными яйцами — серели в жирнягинских (литфондовских) владениях глинозёмные поля...

В скобках отметим демократический, бригадный, отчасти даже квадратно-гнездовой метод получения Народным Писателем своего потомства. Бессчетные жены, высосанные многочисленными родами, послушно сменяли друг друга у ложа своего неохватного, ненасытного, неуёмного властелина. Он был взыскателен, прихотлив и капризен, как трехбунчужный паша. Для брачных трудов и дней выбирались всё писаные красотки, истинные гурии, привозимые, бывалоча, аж из тридесятого царства, — все они были тоненькими как тростинки. Однако вёрткие личинки рода Жирняго, впрыснутые в их лона, проросшие там — разъедали, выжирали этих тростинок-былинок изнутри, иногда что и до смерти, — и, ежели потом получались девочки, все они были толсты и неспособны к детовоспроизводству, но толстые мальчики были все как один резвы в осеменении, хотя — да простят мне авторское вмешательство (замешательство) — не могу, как ни бьюсь, даже вооружившись изрядным эмпирическим опытом, профессионально разнузданным воображением и картинками из пособий по Камасутре — нет, не могу представить означенных совокуплений, лишенных, ввиду всезатмевающей

21

многоскладчатости жирнягинских животов, даже минимума конгруэнтности. Но факты говорят за себя: именно на этой резвости по мужеской линии и держался — разбавленный кровицей-водицей безгласных, безымянных, тонких на просвет великомучениц-куколок — именно на этой звероподобной, зевсоподобной резвости и держался род царедворцев Жирняго.

Ежели бы чревоугодие А. Н. Ж. носило характер так себе, страстишки, дюжинного грешка, расхожей слабости, то беспощадный язык любезного ему народа в единый миг смял бы сего незадачливого Гаргантюа — и смёл бы бесследно. Nota bene: смоквитяне презирают середину; пред экстремальностями же благоговеют и подобострастствуют. Так что левиафаноподобный живот А. Н. Ж., легко вмещавший и корову, и быка, и кривого пастуха, внушал толпе не только трепет священный, но и словно бы обосновывал право Писателя ручкаться, обниматься и лобызаться с самим Кормчим-Кормильцем: титан к титану, кирпич на кирпич, ворон ворону корм не выклюет.

И потому, когда вы в черно-белой телевизионной хронике имеете честь лицезреть Писателя А. Н. Жирняго, подпирающего плечом гроб какого-нибудь безвременно, но не беспричинно почившего собрата (с другого бока, то и дело тараня экран сапожищами и орошая слезищами усы, домовину ту поддерживает Кормчий-Кормилец), то именно в этот момент — держа пред мысленным взором Жору Жирняго, во всех его энтомологических метаморфозах, — вы, с особой четкостью и, возможно, запоздало, осознаете фатальный закон эзотерико-материалистической генной наследственности. В формулировке Менделя-Бора, переложенный на русский, этот закон звучит так: *от осины не родятся апельсины.*

Однако Клио, даже в маскарадной маске под названием «История литературы», есть синьора не вполне «справедливая» (при чем здесь антропоморфизм? на истину ложится тень инструмента, цитата), но зато непредсказуемая. С ней — ох, не соскучишься!

В конце концов (забежим вперед) сложилось так, что, несмотря на раблезианский размах, А. Н. Ж. числится нынче, главным образом, в разделе примечаний. Примечания эти относятся к сочинениям одного бездомного гения, обглоданного до костей вшами и утопленного в параше (то есть достигшего финальной фазы Великого Смоквенского Испытания на Прочность и подошедшего вплотную к Судьбоносному Просветлению) — иными словами, медленно и люто угробленного там, где ему удалось впервые в его недолгой жизни получить крышу над головой: in the concentration camp (Primorsky Kray). По элегантному совпадению (на которые так щедра судьба, создавая новые гармоничные аккорды), в тот самый момент, когда гений, выкрикивая безумные свои вирши, уже захлебывался в параше, его собрат по перу, А. Н. Ж., самым рискованным образом подавился гусиной костью, но был спасительно поколочен по спине челядью и домочадцами.

А в примечания, о которых речь, он попал благодаря случаю: гений, в те поры еще бездомный (еще не на нарах), мучимый (но до летальности не замученный) влепил А. Н. Ж. сочную (так хочется думать) оплеуху. (Ах! следуя свидетельствам очевидцев, следует признать, что пощечина была никакая не сочная, а кривая, судорожная, нелепая — как и все, что предпринимал гений в области дел практических...)

Недавно, недалеко от Парижа, при прокладке новой теплоцентрали, были обнаружены так называемые *берестяные грамоты Фредерика Луазо* (по имени нашедшего), на которых, от нищеты кармана, т. е. за отсутствием целлюлозы, писал свои воспоминания стремительно профукавший Нобелевскую премию смоквенский изгнанник (ехидно прозванный пейзанами своей бывшей усадьбы Клочком — за форму бородки). Вот какую аттестацию (в тех Грамотах) дает сей подвергнутый остракизму «помещик-мракобес и эпигон крепостничества» — Армагеддону Никандровичу Жирняго: «...восхитительный в своей откровенности циник... Страсть ко всяческим житейским благам и к приобретению их настолько велика была у него, что, возвратившись из эмиграции в... (*истлело. – Т. С.)* он, в угоду... (*истлело. — Т. С.*) тотчас же принялся... за сочинения пасквилей на тех самых буржуев, которых он объедал, опивал, обирал «в долг»... .. Он врал всегда беззаботно, легко... .. В надежде на падение дорвавшегося до власти русского люмпена некоторые парижские богатеи и банки покупали в первые годы эмиграции разные имущества эмигрантов, оставшиеся в... (*истлело. — Т. С.*); Жирняго продал за 18 000 франков *свое несуществующее имение* и выпучивал глаза, рассказывая мне об этом: — Понимаешь, какая дурацкая история вышла: я всё им изложил честь честью, и сколько десятин, и сколько пахотной земли и всяких угодий, как вдруг спрашивают: а где же находится это имение? Я было заметался, как сукин сын, на зная, как соврать, да, к счастью, вспомнил комедию «Каширская старина» и быстро говорю: в Каширском уезде, при деревне Порточки... И, слава богу, продал!» А вот его другая (по сути, та же) речевая характеристика: «Я не дурак: тотчас накупил себе белья, ботинок, их у меня шесть пар и все — лучшей марки и на великолепных колодках, заказал три пиджачных костюма, смокинг, два пальто... Шляпы у меня тоже превосходные, на все сезоны... (*Всё это куплено на деньги прекраснодушного «буржуя». — Т. С.*) .. ...покупать я люблю даже всякую совсем ненужную ерунду — до страсти!»

Всякий смертный в конце концов остается тет-а-тет со своей — хошь не хошь, неслучайной — легендой, спрессованной иногда в одну-единственную фразу: «Карфаген должен быть разрушен!», или: «И ты, Брут!», или: «Рубикон перейдён!», или: «И всё-таки она вертится!..» Писатель А. Н. Жирняго — в многодырявой, как дуршлаг, памяти потомков — более всего ассоциируется даже с двумя фразами: «Ничего путного из вас не выйдет, не умеете вы себя подавать!» (Нобелевскому лауреату; *в некоторых редакциях – «продавать»* – *Т. С.*) и: «Все мошенничают, друг мой!» (каждому встречному-поперечному).

Подведем итог: с наступлением любой новой эпохи представители соответствующего поколения Жирняго всякий раз разрабатывали *обновленный стратегический план подползания*, для чего созывался Семейный Совет. (Об этом семействе, со времен изобретения электричества, в Петрославле говаривали так: «Все Жирняго даже по паркету ходят *в кошках*», — имея в виду приспособления, с помощью которых монтеры взлезают на столбы электропередачи.) На Семейном Совете избирался наиболее молодой (пробивной, продувной) представитель. В его обязанности входило: рекогносцировка на местности, тезисное изложение новой экономической стратегии, держание носа по ветру, разработка тактического плана в з л е з а н и я, преодоление известных трудностей п р о т и с к и в а н и я, связанных с некондиционной комплекцией, и наконец у с а ж и в а н и е (водружение).

Ну и что? — возразит растленный танталовыми телеблагами смоквитянин (чья голодная бурсацкая юность пришлась на бесконечные семидесятые). — Рыба ищет, где глубже, а человек ищет, где рыба...

Ох, если бы! — скажем мы. — Ох, кабы рыбой все ограничилось!

Но рыба (давая этому эпизоду неуместный библейский отсвет) еще мелькнет в нашем повествовании.

— 3 —

«Я лучше блядям в баре буду подавать ананасную воду!..»

Теперь сделаем некий флэш-бэк и обратим взор к зачинателю рода, который в доаристократический свой период звался как-то совсем незатейливо — Петров, Петраков, Петрунин, Петрищев, Петрухин — что-то в этом духе. Смоквенские геродоты о сём умалчивают, поскольку он, заполучивши дворянство, собственноручно вымарал в церковных архивах все сведения о венчаниях, крещениях и отпеваниях, относившихся к его линии. Ему хотелось начать жизнь с нуля. И он это сделал.

Нулем, то есть обращенным в нуль посредством мученического убиения, оказался Царский Сын. Случилось так, что Деспот (*в дальнейшем — тиран, царь, реформатор, император, государь-батюш-*

ка, самодержец, монарх, прозападный смоквенский совратитель. — Т. С.) — итак, Деспот, властишку обожавший превыше собственной жизни, к тому же хворавший рецидивирующей паранойей, заподозрил в государственной измене собственное семя, а именно наследника. Чадо выросло хрупким, болезненным, любящим более всего крыжовник, качели да перины мягчайшие в непосредственном сопряжении с благоверною своею супругою. Узнавши про папашкины глюки, сын, как был, в одних портах, с женой одесную, кинулся к басурманам, иноверцам поганым — хотя б и лягушек жрать, а всё же таки в живых быти.

И вот тут-то тиран призвал к трону своему зачинателя рода Жирняго — тогда еще просто Петра, сына Аристарха, который, правда, успел снискать среди поднаемных земляков своих, с голодухи утекших в новую столицу, славу молодого Шекспира: за посильную мзду он бойко кропал для их женок и родших, на псковской сторонке оставленных, презанятные письма. Получавши депеши сии, тёщеньки тех гастарбайтеров да с ихними жёнками на радостях в хороводы пускались: по депешам-то выходило так, что зять примерный, он же благочинный супруг, в столице времени даром не теряет, мошну сребром-златом знай себе набивает и купит к Пасхе, как обещался, шаль с цветами-ромашками, трехведерный самовар, а то, глядишь, и бурую коровенку. А в так называемой «реальности», которой не брезгует разве что желтая журналистика, этот зятёк беспутный, он же бесчестный супруг, не то что медные деньги — последние порты у кабатчика спустил, рабочим урядником многократно был избит — и цвет лица от девок гулящих приобрел, схожий с чешуей протухшего пескаря. Вот и получается, что художественная ложь во спасение есть тяжелый наркотик во всех отношениях (герыч, кока, etc.), а изготовители его... Как бы это помягче... Есть Божий суд, наперсники разврата...

Итак, Деспот, понаслышанный о сочинителе даровитом, «врале презанятном», «бахаре несравненном», повелел доставить его пред свои монаршие очи.

Петра Аристарховича доставили.

— Пойдешь в супостатчину, вертанёшь мово выблядка, — с предельной ясностью повелел реформатор.

— Дак никак не захотит же вертаться наследник-то, — осмелился было тишайше вякнуть П. А. (понаслышанный о Высочайшей Сваре отцов и детей).

— Ясно, не захотит! — одобрительно захохотал царь, — и хохот его распатланным демоном заметался под низкими и, как водится, мрачными сводами. — Кто ж ета, мати твою ети, да разлыся лоб, за собственной смертушкой на рысях поскачет!

— Дак с какого же боку, государь-батюшка, мне к ему поступиться?! — оглянувшись на ратников, молвил бедный, бледный, как заяц, П. А. — Чем же улестить чадо твое единокровное, дабы оно, разум вконец потерявши, само бы на дыбу-то и...

— А сие, детинушка, есть уж твое приватное дело, — нечувствительно заявил император, отирая повлажневшие с хохоту очи. — Сие, зозузаген, есть твой единоличный гешефт.

— Дак пошто ж ты меня, государь-батюшка, пошто ж ты меня, не кого-либо протчего, облюбовал-высмотрел, чтобы на дело на закомуристое отрядить?! — вскрикнул подстреленно Петр Аристархович.

— А врешь потому зело складно, — резонно ответствовал самодержец — и резко опустил жезл, стуком раскатистым дав понять, что аудиенция сия имеет бесповоротный шлюсс.

Nota bene. Читатель! Сейчас взору твоему была явлена назидательная историческая сцена: первичная смычка-случка литературы с госаппаратом, свыкание писателя со своей сервильной (холуйской) функцией. Твоим очам был представлен образец поведения единицы, *согласившейся* к существованию в недочеловеческом ханстве-мандаринстве.

Прибывши на басурманщину, Петр Аристархович решил не сильно напрягать попервости свой творческий аппарат, а потому просто и незатейливо набрехал наследнику, что батюшка-де ждут их с распростертыми объятиями. (Так, кстати, оно и случилось, только в деснице у батюшки, при ближайшем рассмотрении, оказался новехонький кнут-длинник, из кожи поволжских жеребцов крепко сплетенный, а во шуйце — затейливые щипчики железные, дабы ноготки вместе с мясом дитятке единокровному вырывать посподручнее.)

Варнакнул Петр Аристрхович про объятия родительские задушевные — и проблеял вдобавок:

— Всё будет хорошо-о-о... Всё будет хорошо-о-о...

(Весьма сомнительная фигура речи — овечья баранья — неизменно вызывающая у Автора жесточайший рвотный позыв.)

Женоподобный наследник, истосковавшийся по мамкам-нянькам, да по квасу ржаному-ячменному, да по ай-люли-крендельками, да по клюквенной разлюли-раззудись-медовухе, etc. (см. «Смоквенская кухня», Rowohlt Verlag, Hamburg, 2000), уж было купился, как тупорылый карась, на очевиднейшую туфту. Но тут подоспела евоная половина, а ум у баб, зозузаген, догадлив, на разные хитрости повадлив, так что, для навешивания лапши на уши стратегически ценному инфанту, привелось-таки Петру Аристарховичу маленько подызнасиловать свою сравнительно целомудренную музу.

И вот что у него с ней вышло: не решался, дескать, он, гонец царский, черную весть обухом-то на темя царевичево обрушивать, да, видно, придется — помазаник Божий, государь-император, а ваш батюшка разлюбезный, на смертном одре лежать изволят, уже-де и собороваться желали бы, да, не повидавши напоследок наследничка-то, не решаются дух свой высокороднейший к праотцам откомандировать (сугубо литературные деталечки опускаем).

И всё. Через трое суток стоял уж наследничек пред родителем, как вошь перед генералом, а во дланях-то во родительских была вовсе не свечечка восковая смертная, для соборования возожженная, а что именно — см. выше.

Здесь следует опять внимание Петру Аристарховичу уделить. Не родился он, грешный, ни злодеем, ни татем, ни — не к ночи упомянут будет — каким-нибудь чикатилой новорежимным, и, не будучи, стало быть, душегубцем отприродным, он им фактически стал. А что было ему делать? Автор тут, кстати, сочинил несколько облагороженный вариант ситуации, подчеркивая именно подневольность Петра Аристарховича, а ведь он, шельмец, бес его знает, вполне возможно, и сам на иудину миссию напросился — в смысле, проявил здоровую творческую инициативу.

Но, предположим, не проявил. Итак, Петр Аристархович, слабоватый духом с рождения, изначально был человеком порядочным, т. е. делал подлость без особенного на то плезиру. А как поступил бы — на месте Петра Аристарховича — ты, Том Сплинтер? — спросит читатель.

Вопрос этот, будь он задан, укажет на невнимательное прочтение им, читателем, предыдущего текста: в противном случае такой вопрос бы никак не встал. Разумеется, Том (мне естественней говорить о себе в третьем лице) — так вот, Том, как бы это поточнее выразиться, *доставил бы очевидцам как можно более краткое удовольствие в процессе лицезрения его пяток, сверкающих в лучах убывающей луны.* (Уф! это не что иное, как подстрочный перевод с японского... Спасибо, Юкио-сан!) На языке же более западного — по отношению к японцам — народа, Том-отщепенец *задал бы стрекача (тягу, драла, лататы, чёсу).* Ещё короче: сделал бы ноги. В том смысле, что, волею фартового случая на басурманщине оказавшись, там бы и остался.

А дальше? А дальше... То есть: предпочтя басурманщину, чем бы он, Том, стал там заниматься?

Вот тут мы и натыкаемся — не обойти никак — на точку дивергенции, или, так скажем, точку расхождения в социальной эволюции, приведшей к двум полярным родам. А именно: к сытому, на хозяйской цепке, хвостом безустанно виляющему Полкашке (с повытертой от ошейничка жирной выей, с лоснящейся, но лысоватой от намордничка харей) — и к поджарому, в колтунах и чертополохе, никому-не-подневольному, уличному псу-клошару, не получившему от двуногих, кстати сказать, даже имени. Взявшему за правило себе лишь самому служить и угождать, невозбранно бродящему здесь и там, дивясь божественным природы красотам. А те, которые в ошейничках-намордничках, на модных поводочках — кто такое о себе сказать может?..

Итак: что делал бы бедолага Том Сплинтер на басурманщине-супостатчине?

Да мало ли дел. К примеру — блядям в баре подавал ананасную воду.

Потому что эта субстанция, ананасная вода, будучи продуцирована плотью ананаса, а не мозгами Тома Сплинтера, сущностью Тома Сплинтера не является.

Как говорят в Одессе — *вы, конечно, будете очень смеяться, но Сарочка тоже умерла.* То есть — про блядей в баре, равно как и про ананасную воду — сказал один государственный песнопевец, данную фразу реализовавший точно наоборот: это именно он был *тем, кому* эту воду подавали. Краснодеревщики не слали мебель на дом, это правда: они ее госпеснопевцу привозили собственноручно.

Данное генетическое отклонение у двойных рабов (т. е. пожизнено служащим и девам парнасским, и земным властителям) наследуется, как проклятие рода, с ужасающей регулярностью: говорить публично одно, и делать — опять же публично! — абсолютно противоположное. Ну а в умишке своем перетирать, конечно, третье. (Правда, «третье» — случается далеко не у всех. Только у продвинутых.)

Это напоминает Тому наследственное раздвоение языка и размягчение мозга, которым был наказан некий древневаллийский баронский род за помойные свои злодеяния. Но самое знаменательное в данном положении вещей то, что «почтенная публика», наказанная (награждённая?) безумием, этого генетического уродства напрочь не замечает.

— 4 —

Устерсы и немножко нервно

Однако воротимся к Петру Аристарховичу. Как только первые, еще ласково-пробные касания (производимые заплечных дел мастерами) достигли чувствительных телес бывшего наследника (называемого батюшкой теперь не иначе, как «вор, изменник, иуда»), единомоментно с этим (именно единомоментно!) Петр Аристархович получил свое переименование: в грамоте он значился уже как дворянин, и была дадена ему дворянская фамилия: Жирняго.

Оценим остроумие государя (Петр Аристархович был тощ, как безответно влюбленная вобла), а также неизбежную дань монарха азиатскому вкусу: ежели, к примеру, у башкирских князьков тот считался наибогаче протчих, у коего — от сала бараньего — волоса жирнее блестели (длани после трапезы обильной специально с этой целью о власы отирались), то прозападный смоквенский совратитель как ни тщился вверенную ему державу из Азиопы в Евразию перекроить, всё ж более к Азиопе в этом ménage à trois невольно склонялся, а потому считал, что богатый дворянин должен быть толстым (облым), дабы тук его у простолюдинов почтение беспрестанно вызывал... Ох! — как это можно было запамятовать? — и вот еще что, совсем не маловажное: вместе с новым званием Петр Аристархович, разумеется, и материальный эквивалент рачению своему заполучил: гельд белонунг, прайс — денежную премию.

Случалось часто — на протяжении этих мокрушных, костоломных деньков-неделек, мылких от крови, — что реформатор, людишкам своим не доверяя, собственноручно воспитанием сына в темницах потайных занимался. Царь на мучения плоти затейлив был, однако ж мы его патенты, в смысле копирайты, или, по-народному, «ноу хау», опустим. Почему?

Нет, не по нервической слабости. А потому, что они, «патенты» эти — и они тоже! — есть *цена* колдовской петрославлевой красы: мозг-то наш, по ужачьей своей увертливости, Красу-на-Крови приемлет безоблачно, но память, память!

Итак, сузим царевы затеи садистские до более-менее консервативных: совлекши с сына остатки одежд, зачинал он порку невыносливых евоных рамен с помощью кошек. (Это не те кошки, Автор обязан заметить, с которыми последующие Жирняго за паркеты сановные цеплялись, — а старомодные, другого роду-племени: плети с несколькими хвостами — применяемые, к примеру, из-за того, что кнут-длинник уж давно размахрился. Однако ж перекличка — кошка с кошкою — явилась сама, то есть, прямо скажем, в сиринском духе.)

Что тут скажешь? Благодаря литературному таланту Петра Аристарховича влип царевич конкретно: умирать смертию томною, под батожьем, под вышеупомянутыми кошками, в кандалах, в темнице, нагу, босу, алчущу, жаждущу, беззащитну, при всегдашнем поругании.

Но иной раз десница родителя, натрудившись-нарезвившись, притомлялась, покоя себе настоятельно требовала; тогда он, заместо мастеров заправских своих, аматёра в подмогу призывал — зане, одаривши Петра Аристарховича щедрою ласкою, желал удовольствия от него в любой час получать.

Яко трава прошлолетошняя, поисчах Петр Аристархович. И куда уж паче, спросим, было ему чахнуть-то? Телом-то и до того, отродясь то есть, бел-рассыпчат не был — всё паче, аки глист кишечный, в одежды человеческие облаченный. Ан нет, нашел *к чему в себе самом присосаться* — и вот, за кривое ползущество свое — собою же чуть не подчистую съеден был. (Что, признаем, яством, ох не медовым ему поглянулось. Льзя ль самого себя, немощного, так-то уж истерзывать?)

И тут грянуло.

Закавыка в том, что компенсаторные механизмы живого тела (например, буферная система крови, сохраняющая ее кислотно-щелочную константу), вообще все системы саморегулирующегося организма, включая неорганические, органические, физколлоидные и сложные биохимические компоненты, — имеют природой отмеренный лимит. А как иначе? При переходе *некой критической черты* никакая уж компенсация более не срабатывает — летит к черту резьба на Самой Главной Телесной Гайке — и тогда всё, пиши пропало: хорошо, если сразу в тартарары, а то ведь еще так помотает, что, как говорят японцы, *харакири себе пожелаешь, но не отыщешь в свете одинокой луны ни меча, ни золотого, в перламутровых венчиках, блюда, ни прозрачных теней от побегов трехдневного риса.*

Как сказали бы сейчас — «срыв на нервной почве». А на какой же еще? На ней, на самой. Обуял Петра Аристарховича жор...

Ну, жор и жор. Оно и понятно. Яств на царских столах сверкало-красовалось немерено (до наследниковой кончины Петр Аристархович в царских покоях проживал, со златых блюд отведывал). Так что спервоначалу, через недельку после выполнения заграничной миссии своей, Петр Аристархович, как на дрожжах было взошедши: прибавил полпуда. Чудно, но всё ж еще как-то в пределах человеческих. Его сечь наследничка призывают (тот, доходяга, живучесть непомерную проявил, хоть на ярманке выставляй), а он, Петр Аристархович-то, еще баранью ногу на бегу в уста алчущие знай запихивает. Да что там — «на дрожжах»! В две недели аки хряк бройлерный уж взошедши: паче трех пудов знай прибавил. Ну, доброму человеку всяко яство на пользу.

А тут наследничек подсуропил, пакость папеньке наипоследнюю изготовил: ушел-таки, ракалия, сквернавец подкаторжный, утёк в пределы те беспредельные, где несть ни литературы духоподъемной, ни литераторов просветленных, ни дел государственной важности, ни батогов, ни кошек любого рода. Тут бы Петру Аристарховичу душой-то и возликовать-возрадоваться, но, как скажет другой реформатор, через неполных двести лет, *процесс пошел*.

А он и впрямь пошел, не нам с вами останавливать. В том смысле, что — уж во те дни-то скорбные — жор раззадорился-возгорелся в Петре Аристарховиче превеликий, лютый, чрезъестественный.

— Ба! да ты кабаном беловежским глядишься, — шевеля усищами, прищурился государь на пышной тризне (прямо скажем, не по чину евоному сыну-выблядку). — А ну-ка, на спор: хряка-одно-летку, хреном белейшим обмазанного, бочкой рейнского запивавши, — буде я те времени дам, пока музыканты регодон-танец наяривают, — съешь?!!

— А то ж, — чинно отозвался Петр Аристархович — и смолол хряка (всухомятку) на первых восьми музыкальных тактах.

Pas mal, hein? Вот те и всё увеселение.

— Уууххх!! — басовито взревел реформатор, обожающий, как и народ его, всё-крайнее-через-край. — Вот так феатр!! Да тя, слышь, надобно по ярманкам в клетке возить, да ристалища с други-ми-прочими чревоублажателями налаживать, а как лопнешь, с пережору-то, с чревобесия, распоряжусь корпус твой во сосуд двухсотведерный поместить, да спиритусу крепчайшего туда залить, да в Кунсткамере сосуд-то и водрузить — на показ, к монструозусам заморским в компашку!!..

И — загоготал. Заблеяла, заквакала, завизжала-закудахтала, зарыготала вся царская камарилья... Кикиморы нечестивые, богомерзкие! Не до смеху было одному Петру Аристарховичу. Что касаемо науки тератологии, то справедлив был царь: Петр Аристархович и впрямь экземпляр стал недюжинный. Так это же только для ученых мужей да для зевак праздношатающихся, а каково, православные, вы прикиньте, самому фрику?

Царь, при любомудрии своем немалом, имея понятную симпатию ко всему колоссальному, размашистому, необозримому и, пуще того, диковинному (а Петр Аристархович на сороковинах по наследничку весил уже одиннадцать с четвертиной пудов), угодья привольные фавориту своему отвалил, земли тучные, всё такое; движимость и недвижимость; фазанов там да паулинов-птиц повелел в парадизы сии завезти.

А что Петру Аристарховичу, скажем, фазан? Так, на один нижний резец. Он от государя выучился устерс вкушать — и стал до них великий охотник. Как проснется, бывало, до свету, веки ему девушки комнатные, впятером поднавалясь, отверзнут (веки у него, слышь, как всё одно у богохульной Виевой твари стали), а он, что дитё малое, рожи-то не умывши, — ну в хнык:

— У-у-устерс отведать желаю!.. у-у-у-у-у-у!.. у-у-устерс откушать!..

А было у него — прямо в ночных покоях — приспособленьице презанятное заведено, неким инженером-ерфиндером, с Неметчины выписанным, весело слаженное: этакая горочка деревянная, вроде как транплин: нажмешь, значит, кнопочку-то красную, ну, аки пуговицу, что ли, сбоку ложа неохватного вклепанную: вот бочка с устерсами — вспрыг с погребу-то! — да своим ходом по горушке знай катится! да — хоп-ля-ля! — прямо к Петру Аристарховичу в уста разверстые, вдругорядь подпрыгнув, вся как есть заскакивает. Он ее, бочку, — хрясь! — зубами-то сахарными! Хрум-хрум-хрум-хрум! Да под Muscadet! Ооооох, лепота!..

41

...Незнамо-негаданно: было ему раз видение во сне царевича убиенного. Стоял поодаль от него царевич — румяный на вид, молоко с кровью — и репку сырую посреди огорода кушать изволил. А потом строго на Петра Аристарховича взглянул — вроде сказать чего хочет.

— Молви, Алешенька, — взмолился-возопил Петр Аристархович, — простишь ты мя аль нет?! Хотя нету мне, смерду окаянному, нету, псу мерзкому, препоганому — на земле сей грешной прощения...

Молчит Алеша, только знай репку жует, а зубы белые-белые, один к одному.

— Прости, Алешка, слышь!.. — возопил Петр Аристархович и (там, во сне) на коленки-то — бух...

Царевич репку доел, уста рукавом парчовым крепко утер:

— Дурак ты, — молвит, — Петра Аристархович, — и в зубе знай ковырнул.

— Это отчего же? — искренне удивился вельможа новоназначенный.

— А оттого, — ровным голосом продолжал царевич убиенный, заоблачный, — что печень ты себе, лапотник, посадил, поджелудочную уконтрапупил, почки у тя давно уж с катушек. Тебе б, межеумку, на сыроедение перейти, да поздно: жизни в те осталось от силы три дня.

Подмигнул так...

И перстом поманил.

ЖОРА ЖИРНЯГО

Петр Аристархович, еще не развиднелося даже, повелел карету мигом закладывать. А как ее мигом заложишь? В те поры Петр Аристархович весил уже, не сглазить бы, пятнадцать пудов с половиною, так что карета, итальянским умельцем в чертежах спроектированная да русским левшой на французском железе сработанная, была чуть не поперек большака шире, а до него, до большака-то, еще по грязи по нелечебной, спасибо двум дюжинам лошадей, дотащиться бы.

А в окрестных селениях пейзанки, которые бестолковые, — ну в крик-визг! да детей от дороги оттаскивать! да под лавки ховать-хоронить! А которые помудрей, посмекалистей, те, насупротив — к дороге-то чад неразумных подволакивают: едет, слышь, Петр Аристархович, при жизни канонизированный святой, а имя ему, святому, — Стомахон, или Стомакус, или Стамек (у иноверцев), ответственный тот святой за пищеприятие, пищепереварение и пищеусвоение. Ну вот, родительницы, что подогадливей, они, как кошки (опять кошки! не к добру это), чад своих к дороге чуть не зубами за шкирятники подтягивают, чтоб *святой чревоугодник* их, значит, милостью своей одарил.

А он уж совсем не в духах. Оно и понятно: куда же то сновидение распроклятое из чела да повыгнать?! Молодчики-то, что на запятках, специальными рычагами туды-сюды знай шуруют, десницу-шуйцу Петру Аристарховичу вверх-вниз

МАРИНА ПАЛЕЙ

направляют: вот он из окошечек-то, что заводной, супротив своих физических возможностей, народу на обе стороны швинген-швенкен и делает.

Ну, легко ли, тяжко ли, прибыл с Божьей помощью Петр Аристархович в стольный Петрославль-град. А там — еще не легче: царь-батюшка дубаря врезать изволили.

Как так?!!

А так. И вот ведь досада для сродственников царевых великая: ему через два дня, как заведено, помесячный кошт из казны государственной причитался — а он, вишь ты, двух дней не дотянул. Ой, да на кого же ты нас покинул, etc.

Ахтунг, мин херц, дорогой читатель. Процесс пошел. Только обратный. Сейчас увидишь, как на картинке, внутренний мир (патологическую анатомию) писателя, с элитой государственной, что тебе сиамский близнец, всем кишечником сращенного-неразъемного. А еще операцию хирургическую увидишь — по разделению близнецов.

Итак, тело государево еще и остыть не успевши, а Некто Прыткий, допреж всех, кого надо, сожравший (кого на кол водрузивший, кого — так, в пах по-свойски лягнувший), — тот, Некто Прыткий, ножонками суча, уже на трон на златой взлезть изволил. Говорит трубным гласом Новая Власть — на коленочках скрюченному Петру Аристарховичу:

— А вали-ка ты, старинушка, на все на четыре сторонки. Лишаем мы тя нашего почету-внимания, не в фаворе ты боле. А посему — повелеваем тебе сгинуть навеки с очей наших высочайших. Займись, аки допреж сего, как ево, етим... мать ево ети... — *вольным творчеством.*

— Как это — *вольным творчеством?..* — испросил, не понявши по-русски, Петр Аристархович.

Молчание было ему ответом.

— Как это — *вольным творчеством?* — вдругорядь испросил. — А устерсы как же?..

Выполз Петр Аристархович на променадный берег Невы-протоки — шаг пройдет, останавливается... А за ним холопья верные потихоньку бредут, приблизиться не смеют... Знают, что господина по всем статьям разжаловали, а вот — не бросают...

А господин уж и пошевелиться не может. Привалился к молодому тополю, увидел себя, как в перевернутом бинокле — быстрого, огневого, белозубого, ясноглазого... Строчащего в охотку невероятные истории, хохочущего с друзьями до упаду... А не будет этого уже никогда, Петра Аристархович. Никогда, понимаешь?..

Узрел он, в бинокле уж ближнем, и бочки те с устерсами... Стояли они в бывшей его усадьбе, в холодном погребце, напрямки с Корзинкинского подворья доставленные... Стояли в темноте, голубушки, сиротели... И этого тоже больше не будет. Так что же тогда и будет-то?.. Да и уместны

45

ли для тебя глаголы будущего времени, Петр Аристархович?

— Алешка!!!.. — во весь зев свой, жиром забитый, тоненько возопил Петр Жирняго, сын Аристархов.

И лопнула евоная жизнь в самом своем корне. И кровь черная, изо всех дырьев, — аки вино из бочонка, мушкетами пропоротого, — враз хлестанула...

Фи-ни-та.

Засуетились холопья: прах земле предавать надо, да где ж такую домовину найтить? Это ж как на пятерых боровов домовину-то... Один холоп — до ниметского гробовых дел мастера, к Невской першпективе побег, другой — в полицейский участок рванул, а четверо протчих навроде как в караул встали...

И зрят они диво дивное. Принялся Петр Аристархович, что тебе гора восковая, истаивать... Потек его тук да в Неву-протоку — да рыба-то безгласная, беззащитная, тем туком отравленная, брюхом кверху до самого синего моря-окияна скорбно воспоследовала... И так весь тук-то в Неву ушел, и проступили на миг человеческие черты, но лишь на миг — ибо и то малое, что осталось в нем от человека, — и то малое куда-то истаивать стало, словно испаряться... Сократился Петр Аристархович в одночасье: до индейского петуха — до кролика — до котенка — а там, как холопы вернулись да жандарм прискакал, застали они на земле уж такое... Ну, нечто такое... навроде пупсика с тыквенное семечко...

Жандарм, ясный пень, ну за плеть:

— Как это посмели вы, псы, смерды окаянные, меня — да от дел государственных отрывать?!

А тут холоп посмелее, грамоте знавший — он у Петра Аристарховича заместо секлетаря служил, депеши на фураж-провиант легулярно составлял — бойко так бает:

— То, что бывает искусственно раздуто, — то, в свой час, беспременно и сокращено будет; иной раз аж в сторону отрицательных математических величин.

Помягчел жандарм. Рассиропился аж, ибо сызмальства к учености почтением непоборимым располагал. Это ж надо так ловко варнакать! Прямо Езоп самородный, краснобай домодельный, прости Господи!..

Долго ли, коротко ли, решили уж было прах высокочинный в коробчонке для уловляемых блох земле предать. Да вовремя одумались. Это ж человек все-таки, елки-палки, семьянин, христианин, а главное, Писатель, Средоточие-и-Кульминация-Всей-Жизни-Народной, так что необходимые пышности, юшка из носу, должны быть соблюдены.

И вот ведь они, дьяволы, что удумали: ту серебряную коробчонку для уловления блох — в другую, размером поболе, заключили, а ту — в третью, еще поболе — и так дюжину коробчонок, одна другой попросторней, друг в дружку навставляли-навтискивали, вроде как матрешку смертную, прости душу грешную, ловко сварганили, — пока до размеров домовины обычной все эти вместилища в итоге не подогнали.

Но и на том не остановились. Народному сердцу размах любезен: ой ты гой еси, ходынка-крово-хлёбка да лубянка-колыма-костоломка — с пряниками, с хороводами, с виноградом-ягодой (назовем это так), с песней привольной да развеселой иллюминацией. Оно и ладно: в таком стиле, решили устроители, проще будет поддержать в почитателях, равно как и в холопах безграмотных, любезную их сердцу бодягу-туфту об *истинном масштабе* Народного Писателя, Петра Жирняго, сына Аристархова.

А потому лица, ответственные за проведение похорон, уже и следующую порцию «матрешек» на домовину наращивать взялись: выносной вариант для Колонного Зала. Наконец получился пухлый, помпезный, устрашающе-громоздкий дубовый футляр, утопленный в глазете, кистях, лентах, венках, цветах, а заключавший в себе, напомним, двенадцать втиснутых друг в друга гробов, меньший из которых, напоминаем опять же, состоял из других двенадцати, мал мала меньше, — где, в самой сердцевине, в серебряной коробчонке для уловленных блох, — сиротел всеми покинутый желтый тыквенный трупик.

ЖОРА ЖИРНЯГО

...Тут недавно, в связи с намечающимся юбилеем Жоры Жирняго, челядь его смоквенская решила презент ему, приличествующий случаю, преподнести. Задумали двухтомник его пращура издать — с бумагой потолще, со шрифтом покрупнее, чтоб три строки за страницу сходило. Ну, сафьяновый переплет, ясно дело, корешок золотого тиснения, шмуцтитул с подвывертом, всякие там кренделя-монограммы на форзаце... дело за спонсорами. Год издания, решили, конечно, по-латыни обозначить, чтоб, значит, солидней гляделось.

А год, то есть время, какие там палочки ни подставляй, одно и то же. Жора (затея не была для него секретом) пожелал еще куда-то там «ять» в фамилию предка зафигачить, да не знал, куда. Ну, ему подсказали в название издательства вставить...

Только одна лишь мелкая закавыка приключилась: текстов не нашли. Ну да: текстов как таковых. У челяди окололитературной ведь какой прожект был: один том — это наиглавнейший текст жизни, Народный Роман, а второй — те самые письма, что молодой Петруха для земляков от резвого избытка своей жизни строчил... Писем тоже не нашли, а жаль. Даже Автору сей поэмы жаль, потому как уверен он, что были там, в тех письмах, солнце и ветер, и быстротекущие воды, и живая кровь, и бессмертная горестная любовь — все там, конечно, и было.

А насчет Романа Народного... Его следовало, разумеется, написать наново... Наняла челядь на спонсоровы тугрики кого-то из тусующихся-грызущихся у Парадного Подъезда — этих, навсегда голозадых, имманентно просветленных, амбивалентных — они всю эту силиконовую лабуду, как надо, с задором жеребячьим, in cooperation, и сварганили. Так что однотомник «Ты помнишь, Алешка...» (с предисл. акад. Л. Фрауэрбаха) всё-таки получился... И вошел А. П. Ж. в анналы отечественной лит-ры как *автор одной книги*.

Да зато какой.

— 5 —

Красота страшна, — вам скажут; вы не верьте этой лаже

Прямой вопрос к Тому Сплинтеру: ну чего ты к этим уродам прицепился? Неужели ничего интересней в мире не высмотрел? Ведь свободен ты, как только может быть свободен смертный в земной юдоли. И потом: неужели ты, не к ночи упомянем, еще и «моралью» (в ряду своих экзотических хобби) позабавиться вздумал? А в секту трясунов хаживать не пробовал? Неужели уж так укатали сивку крутые горки, что еще, не дай бог, заскрипишь пером по вопросам, как ее, этики?

Охохонюшки... Грехи наши тяжкие... Ясное дело, «мораль» и «правда» всегда обратно пропорциональны количеству зубов, волос и сексуальной потенции. Что касается Тома Сплинтера, он молод, красив, иначе говоря, кондиционен, и друзья у него — в возрасте его *теоретических* детей. Но (скажет патриот смоквенский) дело даже не в этом: какое *право* он, Том Сплинтер, имеет тут над нашими, местного производства, мудаками глумиться? Он, негодяй, полстранички в каком-то там тридесятом царстве наваляет — пачпортом иноземным знай обмахивается.

А мы? А мы с ними, с мудаками нашими, на экспорт не предназначенными, малиновые зори поутрянке в молодых овсах приветствовать на веки вечные обречены. Вместе в одной подлодке. Тошнит, а куда денешься? Охо-хо. Худое, да родное!

И то верно. Кроме того: смоквенский обычай таков, что критика там дозволена сугубо по талончикам. По каким талончикам? Сейчас поясню.

Вот, скажем, живешь ты в свободной, прогрессивной державе, на улице Ильича... Прогрессирующего Паралича? Нет-нет, повторяю: в свободной державе, на улице Ильича. Как же так? Может быть, это в честь Обломова улица так называется, в смысле — Ильи Ильича? Да нет. А впрочем, кто его знает.... И потом, можно еще спрошу: что это за держава такая благодатная, координаты нельзя бы? Не перебивайте. И вот ты там, на Ильича, например, прописан — или так: физически существуешь на Ильича, а прописан на улице Красных Пулеметчиков... Простите: Красных Пулеметчиков — это там, где казино, храм Марии Египетской, боулинг, фитнес-центр, Бигмак? В одном таком высотном здании? Там, там. И вот ты прописан на улице Красных Пулеметчиков — или прописан на Ильича — там же, где и живешь физически, и потому имеешь право на талончики.

Какие талончики? Ну, какие — подсолнечное масло, макароны, «Частик в томате», «Спинка минтая», конфеты «Свежесть». Нет, понятно, *времена кардинально иные:* потребление иное, корма в корыте иные — окорочка, баночная водка «Асланов» — о, сколько нам открытий чудных готовит троглодитства дух — «Виспа», «Нусс», «Фазер», «Хершис», «Алпен Голд», «Дав», «Хеллас», «Схоггетен»... И вот ты на все на это *имеешь право*, потому что влачишь физически свою жизненку, как все, как мы, как все мы, на улице Ильича, где и прописан. Или так: проживаешь фактически на улице Ильича, где осуществляешь ведение совместного хозяйства с гражданкой N. N., а прописан на улице Красных Пулеметчиков, и вот, по месту прописки имеешь право на талончики, которые дают тебе право осуществлять свое право на поддержание своего физического существования. А тот, кто, скажем, в каком-нибудь Бостоне вовсе не прописан, но живет — имеет ли он право на такие талончики? Ясный пень, нет. Вот так же обстоит дело и со свободой нелицеприятных высказываний в адрес — ух! — одной отдельно взятой сообщности. По талончикам! по талончикам! только по талончикам.

Или взять такой случай. (Это все к вопросу: «Руки прочь от нашенских мудаков!») Варлам Шаламов, так? Шаламова знаешь? Слыхал. Ну так вот. Он, когда из лагеря откинулся, не из пионерского в смысле, он потом в Смокве такой толстый том навалял — про ужас лагерной жизни (как отражение ужаса жизни вообще). А по-моему, это неправильно. Что неправильно? А то. Что писать про то он имел право, пыль лагерная, только в лагере сидючи. В лагере, — это да, он имел на ту тему полное моральное право. А как откинулся — нет, он право такое утратил. Хочешь писать про лагерь, не про пионерский в смысле, — сиди в лагере. Правильно я мыслю? То-то же.

Кроме того, Том Сплинтер: ты, что ли, прокурор крысе? таракану? клопу? Все они для экологического равновесия созданы Господом. Тебе они не нужны, а Ему нужны; доверься Ему, Том. Вон китайцы: посгубили из рогаток воробьев-то, а в итоге — экологический фол: размножилась мошка, кою воробьи, от сотворения мира, аккуратно изничтожали, а она уж пшеницу-то на корню пожрала, и, надо сказать, куда проворней, чем это делали птички. В итоге — ни воробьев, ни пшеницы, минус амортизация рогатки, минус затрата коллективных усилий по ее эксплуатации — и, главное, в минусе оказался двигатель прогресса: коллективные иллюзии.

«...покой и волю не навяжешь. Какое право имею я, Том Сплинтер, покой и волю кому-либо навязывать? Никакого. У меня свои представления о саде радостей земных, у Жоры Жирняго — другие; кому — таторы, а кому — ляторы. И потом — можно похвастаюсь? Ужасно люблю хвастаться. Ужасный грех. Но наедине с собой — грех не похвастаться.

Вот мой бесценный день. Встаю с постели, когда восхощу (а коль не восхощу, то и не встаю вовсе), из обязательств — единственное: себе лишь самому служить и угождать. Священный долг индивида. Сердцем, полным радости и блаженства, благодарю за такую возможность разнообразные экуменические божества. Ярко, с нестихающей остротой наслаждаюсь тем, что не обязан человеков, не нужных моему уму, чуждых моему сердцу, — ни лицезреть, ни, сохрани святые, слушать. Беру книжку, читаю с любого места, иду в лес, еду на море — или никуда не еду и не иду.

И так — ежедневно. Из окна ванной комнаты видны кобылицы и жеребята — есть сахарно-белые, есть литого серебра, есть шоколадные. В траве-мураве под окном гостиной — капельками ртути — перекатываются крольчата.

А иной раз на DVD подсядешь. Накачаться классическими грезами своего детства. И так уж иной раз накачаешься, что бросаешься вдруг (о чем и не помышлял мгновением раньше) звонить-названивать абонентам из прошлой своей жизни. Влетаешь этаким незаконным булыжником, форс-мажорным метеором — и звонок твой обрывает плодотворное супружеское общение («Всегда ты крышку от зеленой кастрюли куда-то деваешь! Вечно ты куда-нибудь ее засо...»)

Странная жизнь... Выговоришься на трехзначную сумму, обоюдно души разбередишь — и вновь в свое суверенное королевство, где есть книги в доме, старинный орган в костеле, распатланные ивы (с шевелюрами сексуально свободных девушек в исполнении кинодив шестидесятых годов), яркие травы возле прудов, лягушки, лисы и белки, а еще — по берегам прудов стоят неподвижные цапли, точь-в-точь вырезанные из картона (словно кандидаты в президенты), есть лебеди — белые и черные изящные букеты на зеркальной глади озера, есть утки, и есть их мужья, селезни, и есть лысянки (созерцая коих, смоквенские туристы в непринужденности своей обычно восклицают: «Какие они вку-у-усные!..»), и есть нарциссы — весной, в перелеске, возле бензоколонки — апельсинные, лимонные, белоснежные. Царство Нарциссов, чье горьковатое вино разлито в вечернем воздухе, и никто их не губит...

А дома тебя ждет видеонаркота... кинематографический кокаин... А воздух с балкона чистый, чистейший! Черемухой пахнет... тишина!.. И знаешь: завтра опять, благодарение Богу, никуда не вставать, никуда не бежать, никто, никто тебя мучить не будет!..

И всего этого добился я сам».

Во времена оны, в Смокве, будучи еще женщиной, работал Том с микроскопом («с мелкоскопом», — как всенепременно написал бы А. Н. Жирняго, привычно воруя у Н. С. Лескова) — да, возился он, Том Сплинтер, с разной видимой и невидимой глазом сволочью, в т. ч. иногда и с чешуекрылыми — правда, не с позиций чистой энтомологии, как В. В. Н. (к сожалению), а более с точки зрения недугов крови, инфекционных и паразитарных заболеваний, а также эпидемиологии.

Кстати, эпидемиологические данные при изучении этиологии и патогенеза (зарождения и развития) различных заразных болезней, а также природных ареалов, где циркулирует их возбудитель, а также путей их распространения — как ни крути, сродни сходным факторам при массовых социальных психозах...

Да, стало быть, движет Томом, при составлении сих записок, негасимый научно-исследовательский интерес: ужасно любопытно узнавать, разглядывать и анализировать, скажем так, морфологию возбудителя! Давать названия тому, что зрят очи... Хотя вряд ли кто из непосвященных знает, что в медицинской практике, особенно когда дело касается микро- и макроморфологии, в ход идут десятки и сотни *уже готовых,* точнее, строго закрепленных, невероятно образных метафор! (Олеша позеленел бы от зависти.) В основном, правда, как ни странно (как раз не странно), большинство тех метафор имеет *гастрономи-*

ческий уклон (жирнягинская линия) — ну, например: «кофейные зерна» (гонококки), «гречневая каша» (вид одной из патологических клеток крови), «малиновое желе» (кровавая слизь при определенном поражении прямой кишки) и т. д.

А что ж! Это дело житейское: «хлеб наш насущный» — свойский, косный, общепонятный код...

Для человека с микроскопом — несть ни бабочки, ни спирохеты.

Вот она, тенденциозность! — потирает шкодливые свои ладошки, педипальцы то есть, задроченный карапуз-критик. — Всё бы г-ну Сплинтеру с микроскопом копошиться — в то время, когда мы... когда мы здесь... мыыыыыыы!.. муууууууу!.. Да! в телескопы исполинские объекты зрим!.. правду-истину прозреваем!.. Остается лишь пожалеть автора... по-человечески пожалеть... (Стерилизовать бы его — и вся недолга! Вот это было бы воистину действенно, аминь.) Имя Христа у него возникает лишь всуе, лишь всуе... что, по-человечески, опять же, понятно... Благодать православия автору неведома... А посему — существование его является искусственно усеченным... полузаконным, точней говоря... Но мы-то, мы... мыыыыыыы!.. муууууууу!.. Мы проходим величайшие испытания... высочайшие цели... рррроковое избрание судеб... прозрачно выраженная воля Небес... очищение... духоподъятие... миссия... свет...

Любой человек, не склонный к нырянию под микроскоп, т. е. почти любой, а не только награжденный творческой импотенцией критик, — итак, любой человек, конечно, не задумывается о том, что всякий объект повседневности — и даже особенно, скажем так, «противный» (нет, дамское словцо...) — и даже особенно «богопротивный» (опять не то...) — короче, вонючий, очень вонючий объект — кал, жирнягинский жир, моча — итак, всякий без исключения объект, при определенном увеличении его микрочастиц (и последующем разглядывании их с той труднодоступной, точки, где не ступала нога резонера), — такой объект вполне может воссиять невиданной красотой. Победительной красотой — и правдой иных величин.

Ну, например. Возьмем упомянутую уже урину — мочу то есть — причем явно патологическую: вот она, мутноватая, зловонная, «желто зеленеет» в литровой банке из-под маринованных помидоров «Салют». Капнем миллилитров десять в пробирку, отцентрифугируем. Размажем частицы осадка по предметному стеклу... Дадим высохнуть... Прижмем сверху покровным стеклышком, положим на предметный столик, направим зеркальцем свет... Теперь — пошли щелкать переключаемые объективы... муть... муть... мутновато...

Но вот! — под определенным увеличением ты наконец видишь это: щедрые, сверкающие россыпи алмазов — громадные их гроздья и друза —

искрящиеся пещеры сплошных, как снега, алмазов; а вот — царственно излучают горний светопоток ювелирные витрины-эталажи — все бриллианты мира, изумительно отшлифованные, погруженные в игру бессчетных граней — бриллианты другой, нежной и безупречной Вселенной, — рассыпаны кем-то таинственно и бескорыстно по тихой, безлюдной звезде твоего зрачка...

Матерятся лимитчицы-лаборантки... Воняет тем, чем воняет... А ты с затаенной жадностью рассматриваешь свои богатства. Они напоминают сказочные красоты на дне колодца-калейдоскопа.

...Калейдоскоп был настоящим факиром (пре-сти-ди-жи-татором) — в дошкольном ангинозно-коревом раю. В том раю ласка мамы, папы и бабушки была словно бы дополнительно помножена на тяжесть твоей хвори... На дне калейдоскопного колодца, при всяком его повороте или даже — ах! — неосторожном движении — раздавался чудесный, неповторимый шорох — словно взмах ресниц незримой принцессы. И всякий раз вспыхивал новорожденный парадиз! Со своим однократным, никогда не повторяющимся узором... Всякий новорожденный узор возникал от разрушения, исчезновения и забвения предыдущего...

— Марь Петровна! — кричишь ты. — Нет, вы только посмотрите, что в моче у этого, как его...

— Иванова, — подсказывает Марь Петровна. — Ишь, солей-то сколько... ишь, солей... сказано ж ему было: не жри на ночь мясо...

— Нет, а *красиво-то как*, Марь Петровна!..

— Ему жить с его-то почками от силы три дня... — закуривает Марь Петровна. — А он, гусь, набил вчера брюхо, как на Маланьиной свадьбе... Да и бормотухой-то, видно, запил... Ему сожительница-дура бормотуху в грелке по субботам притаранивает... Он к животу грелку-то прикладывает, стонет — и вот себе надрывается, ну будто рожает! — да в сортире-то и засасывает — думает, я не знаю...

— Но бриллианты-то какие! восемь карат! десять карат!! двадцать карат!!! Красиво ведь, правда?!

— Красиво, красиво... — примирительно бурчит Марь Петровна.

Теперь понятно, почему Том Сплинтер микроскопирует всякую нечисть?

Беременным рекомендуется смотреть только на красивое. А поскольку набито в Томе разнообразных зародышей под завязку, что икры осетровых рыб, — категорически предписано ему, Тому Сплинтеру, смотреть только на красивое. Исключительно на красивое, черт подери!

Что он и делает.

— 6 —

Джемпер, джинсы, джем

Георгий Елисеевич Жирняго был последним из десяти чад Елисея Армагеддоновича, который, в свою очередь, был третьим из восьмерых отпрысков Армагеддона Никандровича.

Этот Елисей Армагеддонович, отец Жоры, являл собой прямо-таки скандальное исключение из всего семейства Жирняго — то есть до такой степени исключение, что, родись он женского полу, про него можно было бы запросто сказать, как А. П. про Т. Л. сказывал: *она в семье своей родной казалось девочкой чужой.*

Да, Елисей Армагеддонович был исключением по всем статьям, наглядной демонстрацией сбоя генетической программы, мутантом. Только не тем мутантом, какой выживет даже после ядерной бомбардировки, а совсем наоборот. Характером своим он был (ах, природа-баловница, насмешница, чаровница!) ни много ни мало — ну просто реинкарнация князя Мышкина. И потому (вот она, диалектика коллективной мудрости) к пословице *«Яблочко от яблоньки недалеко падает»* ушлый коллектив немедля притарачивает четкое (как говорят в генетике, комплементарное) изречение: *«От черной кобылки – да белое молочко».*

Это белое молочко, т. е. Елисей Армагеддонович, проживая в Петрославле, был биохимиком международного класса — его интересовала биохимия нуклеиновых кислот на стыке с генетикой. Будучи мышкинского склада и бунинской внешности, он, говорят, писал какие-то стишки. (После его кончины была обнаружена папка с грифом: «Сжечь не вскрывая». Домочадцы папочку, конечно, вскрыли — стишки там и оказались.)

Конечно, приходилось ему в течение жизни идти на какие-то компромиссы, но то были компромиссы исключительно ради одних лишь малоизвестных науке нуклеиновых кислот, ради них, любовно обожаемых, таинственных, бесценных, — жил Елисей Армагеддонович наукой, с наукой, в науке, для науки — и не был по природе своей ни тщеславен, ни алчен, ни суетен: к примеру сказать, когда повелели ему явиться за Госпремией, Елисей Армагеддонович, сказавшись больным, послал на вручение своего коллегу, а дома сказал, что идет на вручение, а сам заперся в лаборатории и работал.

Несмотря на противотанковые надолбы (в борьбе с космополитами) и дикий страх (пойти лагерным путем многих почтенных профессоров), Елисей Армагеддонович время от времени посещаем был иноземными коллегами, в основном англичанами, с коими и распивал крепчайший чай в большом, с кариатидами, доме на Петропольской стороне. Профессор Джеймс Д. Стоппард, из Оксфорда, привез ему как-то подарок:

зеленые снаружи, белые изнутри, с золотым ободом поверху, большие толстостенные чашки — с зелеными, такими же основательными, блюдцами, увесистым молочником, надменным заварным чайником и бокастой сахарницей. Елисея Армагеддоновича поразил прилагаемый к сервизу набор чайных ложек: большущих, тяжеленных — каждая весом в топор. Этот сервиз — и особенно ложки, — указывая на неоспоримую серьезность своего назначения, словно говорил: *вы пьете чай, сэр, следует сосредоточиться на процессе.* Так что Елисей Армагеддонович, обычно гонявший чаек по-русски бессистемно — то на ходу, то в охотку (чуть морщась от крутизны кипятка и весьма рассеянно прихлебывая из стаканов, покрытых изнутри буроватым налетом), — дал добровольное обещание профессору Стоппарду неукоснительно соблюдать файф-о-клок.

На прощание, уже в прихожей, Елисей Армагеддонович спросил своего оксфордского коллегу: а как у вас, мол, на самом-то деле, сэр, в вопросах чаепития принято: добавлять молоко в чай — или же чай в молоко? Источники-де дают весьма противоречивые сведения...

Профессор Стоппард как раз надевал свой waterproof макинтош. Жирнягинский сеттер по кличке Амид принялся было жевать аппетитнейшие шнурки на ботинках гостя...

— В подходе к этому вопросу, сэр, — сказал он Елисею Армагеддонычу, слегка отстраняя тростью

Амида, — в подходе к этом вопросу, позволю заметить, подданные Британской Короны делятся на две расы.

Его рукопожатие было крепким и удобным. Он раскланялся и быстро вышел к поджидавшему его таксомотору.

Две расы... Стало быть, человеков можно делить и по такому признаку... А что уж тут говорить об отношении к средствам (для достижения целей)? Ведь вот почему Елисей Армагеддонович биохимиком стал? Ну, во-первых, не хотел знаться-вожжаться с элитарно-гуманитарной салонной сворой, к которой еще дородясь, собственно говоря, приписан был, — как все равно Петруха Гринев к гвардейскому полку. Однако ж в обоих вариантах воля отцов так или иначе подкорректирована оказалась. В случае с Елисеем Армагеддоныч там еще не только поступок «пар депи» просматривался, но искренний научный интерес к загадкам своего рода.

Дело в том, что отец его, Армагеддон Никандрович, в свое время получил кличку — Фальшивый Хан, поскольку поговаривали (разумеется, до того, как он в фавориты к питекантропам — спасателям человечества попал), что родился он вовсе и не от графа Жирняго, а вовсе даже от какого-то босяка-разночинца. Ежели это так, то бишь, ежели никакой кровной связи между Армагеддоном Никандровичем и Петром Аристарховичем, не существовало, то... То получается, что подлость Фальшивого Хана (и всех последующих Жирняго) не от Петра Аристарховича в наследство заполучена, а от самого Каина. И тогда дело это, на взгляд Автора, получает уж и вовсе кромешный оборот...

Хотя сказывают, что какие-то доказательства именно «ханской» (беспримесной) линии все-таки есть. Ну, например. Будто ко всем «яблочкам» с жирнягинского генеалогического баобаба (кроме серафимоподобного Елисея Армагеддоныча), за три дня до кончины, убиенный царевич Алексей всенепременно являлся. И будто бы бойко перечислял он все патологоанатомические, словно по ходу вскрытия, диагнозы очередного «яблочка». А вслед за тем какие-то новые средства здорового образа жизни пропагандировал: то раздельное питание, то полное голодание, то сухоедение, то босохождение, то униоглотание, то яблочный уксус по доктору Джарвису, то бессолевую диету, то соблюденье постов, то питие дождевых вод апрельских, а то натирки фекальные. И под конец обязательно добавлял:

— Но поздно. Жизни у тебя — три дня.

И тут же — истаивал в воздухе. Короче, night's candles are burnt out, and jocund day...[1]

---

[1] Ночные свечи гаснут. День веселый... (Из пьесы В. Шекспира «Ромео и Джульетта».)

И вот, хотя царевич показывал себя всем «яблочкам» (кроме Е. А.), — это еще не доказательство чистоты «ханской» линии, потому что выводы здесь могут быть прямо противоположные: 1. Да, он преследовал сугубо жирнягинских отпрысков; 2. Нет, он изводил всех сразу, до кучи, каиновых.

А не все ли равно? Биохимик Елисей Армагеддонович, земля ему будет пухом, наплодил, как мы уже отмечали, десять детей. Сие было содеяно им не вследствие любострастия (еще одно отличие его от суперфертильных предков), но сугубо по любомудрию. Судите сами. Десять — хорошее число для статистической обработки; правда, не вполне достаточное, зато круглое, подходящее под процентаж. Итак, Елисей Армагеддонович родил: Изабеллу Жирняго, Авдотью Жирняго, Матильду Жирняго, Епифанью Жирняго и Аннабеллу Жирняго; а также: Евстигнея Жирняго, Андромаха Жирняго, Ромуальда Жирняго и однояйцевых близнецов — Эмпедокла и Георгия Жирняго. (Перечисление дано не в хронологическом порядке: просто мы женщин пропустили вперед.)

Елисей Армагеддонович, слуга чистой науки, поставил на своем потомстве, можно сказать, социогенетический опыт: а ну хоть одна достойная особь выпестуется?! Числовая выборка, повторяем, была недостаточная, однако мы же не с менделевским горохом имеем дело, а с человеками — тут и педагогическая коррекция не бессильна (как думал Е. А.). Особенно его заинтересовала парочка однояйцевых близнецов — Эмпедокл и Георгий, родившихся, соответственно, под девятым и десятым нумерами. Как известно, однояйцевые близнецы, полностью дублируя друг друга на уровне ДНК, являются лучшим материалом для социологических опытов. И поэтому одного, а именно Эмпедокла, Е. А. определил в школу с итальянским и немецким уклоном, а Георгия — в школу с французским и английским уклоном — и решил посмотреть, что же, собственно говоря, из этого выйдет.

Однако смотреть на это долго ему не пришлось, так как — Бог дал, Бог и взял — девятилетний Эмпедокл, поспоривший с Георгием на эскимо, утонул, переплывая летом верховье Волги (до Георгия очередь не дошла). Таким образом, отцовский эксперимент сорвался. И тем более его следовало считать сорванным, что Георгий (все восемь прочих Жирняго к этому времени уже прочно втиснулись-водрузились на *правильные полки*) — Георгий, в свои двадцать два, все еще продолжал пребывать в неком сиренево-черемуховом тумане, нимало не помышляя (на радость отца) сконденсировать-нацедить из этого тумана каких бы то ни было прикладных дивидендов.

Он закончил в те поры отделение классической (а какой же еще) филологии Петрославльского университета и был основательно женат на сокурснице-отличнице, «девочке из хорошей семьи». После университета вышла у него какая-то катавасия с аспирантурой (или не вышло катавасии), и он сразу начал служить (в издательстве, редакции, архивах). Ежели катавасии с аспирантурой не вышло, то он (вместе с супругой) защитился, а служил в издательстве (редакции, архивах, Пушкинском Тереме) после того. Какая разница?

Все студенческие годы Георгий был в меру лоялен, в меру ироничен, в меру оппозиционен, в меру оппортунистичен, в меру циничен, в меру речист. Его любили все или почти все, что одно и то же, и в те поры еще никому в голову не пришло бы назвать его Жорой, а кликали его Гошей, Гошкой, Гоги (и даже — Гогеном). Никогда — Жоржем, а если почтительно — то всенепременно Джорджем (битломания, стилягомания, англо-американомания). «Джордж» (джемпер, джем, джига, джаз, джин с тоником), согласитесь, даже звучит поджаро: настоящий джентльмен с волевым подбородком — не в пример бесхарктерному, жабообразному, желеобразному Жоржу — жабо вокруг жирной шеи, ветвистые супружеские рога — и крошки от буше на вечно жующих устах...

Помимо этого у него было еще одно прозвище — Джордочка, по которому можно легко судить о его тогдашней комплекции. Ежели мы бы стали писать портрет молодого Джорджа (Джордочки) в духе махрового и одновременно словно первозданного «реализма» (истинный рай для живущих с нуля), нам следовало бы окружить его репрезентативными предметами свойственной ему повседневности, а именно: де Соссюром, восьмой-под-копирку-копией-дневников-белоэмигрантов-на-одну-ночь, романом by Aldous Huxsley «Time must have a Stop», папиным чернильным прибором, Леви-Стросом, портретом дедушки, бронзовым бюстиком Цицерона, портретом другого дедушки, гитарой, пластинками Поля Робсона, Боба Дилана, Шостаковича, фотографией дедушки-бабушки, фотографией семьи на темной от елей даче, картиной Малевича (подлинник), книжечкой А. А. А. «Четки»... уф, надоело!.. Можно продолжать этот список достаточно долго, но не бесконечно: он ограничен стенами жирнягинского кабинета.

Гораздо интересней будет показать Джорджа на любительских черно-белых фотографиях (некоторые из них имеют фигурные, резные края), то есть увидеть предметы, людей и пейзажи, с которыми Джордочка мог соотноситься не только по праву наследования, но природно (спонтанно, стихийно). Итак: берег реки Луги, сестра Епифанья — и Гошка; ствол сосны (на заднем плане — маленький лыжник) — и Джордж; белый песок ингерманландского побережья, чья-то пятка и, облаченный в темные плавки, — Джордж (курит); жена в очень открытом, яблоками, сарафане, возле белой двухвесельной лодки, по колено в воде, — и Джордж; вратарь на воротах: Гоги; пригородная (куоккальская?) платформа: Гошка хохочет, пытаясь прикрыться газетой, рядом бабка продает семечки; ведро с гнилой картошкой — и Гога (помощь колхозу), группа студентов: в нижнем ряду, первый правый от центра — Гоген; день рождения: папа, Амид, кошка Хромка (Хромосома) — и Гога; какая-то есенинская калитка — и Джордочка; велосипед (на заднем плане — деревянные ступеньки крыльца), брат Андромах — и Джордж; Египетский мостик через Фонтанку: бесстрастный сфинкс — и смущенный чем-то Джордж; похороны Эмпедокла: пионеры специализированной школы с углубленным изучением немецкого языка застыли в прощальном салюте, с правого нижнего края — кусочек плеча, шеи и уха: Гоша.

Вирши его были сначала такими, какие все филологи пишут, а вот проза была хороша сразу, а со временем пошла изумительная. К этому времени (то есть к тридцати годам) он был вхож во многие салоны, но как бы еще безгласен. Проза его напечатана тоже еще не была, отлеживалась в письменном столе (читанная лишь очкастой молчаливой женой), но зато внешний облик Джорджа значительно уточнился, утончился и походил (по мнению искушенных окололитературных дам) на таковой у Георгия Иванова: рот такой же красный и мясистый, отпускающий вполне уже полнокровные остроты, глаза чуть сонные, бархатно-барственные и как бы подслеповатые — во-

лос, правда, гуще, холеней, чем у автора шедевра
«А люди? Ну на что мне люди?..», но было в лице
у Джорджа еще то, что отсутствовало у его тезки:
нечто добродушное, как у сытого, полусонного
льва — а также, как ни странно, и лошажье (не
конское — то есть, сохрани бог, не *блаженно-боль-
шевистское*, пастернаковское, а именно лошажье), что впоследствии, к сожалению, обвально
переродилось в корыто-лохань.

Нравился он окололитературным дамам всех
возрастов, рангов, мастей — просто страсть как,
но дамы те, несмотря на лютый демографиче-
ский перекос в их отечестве и зверский сексуальный голодомор, к Джорджу подбиваться не сме-
ли — т. е. не предлагали, скажем, ни борщочка до-
машнего (на ночь глядя), не взывали к починке
своей электророзетки, etc.: он был наследственный граф и профессорский наследник, они —
разночинки, эмэнэсы, библиотекарши; он был
удачно и прочно женат, они — старые девы, мате-
ри-одиночки, разведенки; он всегда был централь-
ный персонаж любого вечера, н а с т о я щ и й а в -
т о р (это чувствовалось бесспорно), они — увы,
статисты, «аудитория», массовка.

Наконец Джорджа напечатали. Это был год,
когда никто ничего толком не знал о стиле, потому что какой там стиль в предбаннике морга. Но
стиль появился: именно Джордж и привнес стиль.
И было это не особо трудно, потому что роль вы-
годного контраста сыграл общелитературный

фон — серый, как заношенные солдатские портянки. Интеллигенция обеих столиц утоляла свой духовный глад «дискуссионной» перепиской пещерного шовиниста, всеми уважаемого питекантропа, — с непрерывно взволнованным евреем-просветителем (который, на взгляд Тома, мог бы найти более достойное применение своему краткому земному времени). В этих эпистолах питекантроп играл ерническую роль Ивана Грозного, ну а еретик-еврей (с тщетной пассионарностью призывавший мыть руки перед едой) — глумливого и, главное, безнаказанного западника, Андрея Курбского. То есть поразительная неприхотливость и неразборчивость тогдашней «продвинутой» публики, с лютой голодухи жадно глотавшей эти скучные, гнусные, коммунально-барачные словопрения (видимо, принимая их за современные «Беседы Гете с Эйдельманом»), обеспечила книге Георгия Жирняго фанфары, фурор, триумф — а заодно и мгновенный миф о том, что — вот видите! — яблони могут вполне цвести и на временно неплодородном Марсе.

Это был год, когда мокрую колбасу то «давали», то нет, сапоги польские — то «выбрасывали», а чаще — нет, гнилая картошка порождала длинные очереди алчущих ее; то был год, когда всего было мало, а людей и собак — много, собаки поели всю колбасу, как библейская саранча поела молодые египетские побеги, и люди боялись, что рассказы Джорджа тоже куда-то употребят (спрячут, истребят) какие-то другие люди или собаки — то есть рассказы эти тоже — сегодня есть, а завтра, глядь, может, и книгопечатанье высочайшим декретом отменят, и *не хватит на всех нас* этих волшебных Джорджевых страниц, — и поэтому переписывали люди эти рассказы от руки.

В его рассказах мир детства, откуда нас всех *(в реальности)* – кого раньше, кого позже, выперли (вот здесь Автор единственный раз может с уверенностью сказать: *нас, всех*) — выперли, выбили, как белогвардейцев из Крыма, — в кромешно-черное Черное море — без дна, без покрышки, без рассвета, без порта прибытия, и не белел там пароход «Надежда», — этот мир детства был представлен в рассказах Джорджа диковинно, с отрадой и лаской: нет, белел всё-таки там — по крайней мере, в начале, на причале всех текстов — пароход «Надежда», мы уже на его борту, пожалуйста, рассаживайтесь, каюты уютные, мягкие, нежно струится свет голубой лампочки, рядом мама, завтра, по расписанию, утро, а остров хотя и в тумане, но пароход «Надежда» всегда останется нашим домом: на нем можно вернуться!.. да, на нем можно вернуться... а если нет, то уж точно спрятаться... и мама рядом.

По сюжету рассказов — мамы в конце как раз не оказывалось, утро не наступало, и лучше было не глядеть в кромешную тьму иллюминаторов... Но атмосфера, бесценная ткань языка — да, сам язык — давали такое глубокое, такое полновесное наслаждение и, главное, такое мощное, всеискупающее утешение, что все остальное — смерть, жизнь — значения уже не имело.

Джорджа заметили. Стали приглашать. Командировать. Делегировать. Хотя, следует признаться, не все спервоначалу катилось так уж гладко — так что и талант, и «темы» (удачно вклинившиеся в узкий внеидеологический зазор), и поглощенность власти собственной гангреной, перешедшей в агонию, и фамилия Джорджа, звучавшая, как парализующий волю пароль, — даже всё это, вместе взятое, не помогло ему легко и без заморочек присоединиться к литературному клану униженных и оскопленных, но, с другой стороны, вполне уваженных и просветленных.

Дело в том, что клан (с увертливо улизнувшими от серпасто-молоткастых гекатомб упырями) всё равно ни за что не желал Джорджа к себе «пущщать», потому что Джордж (относительно них) был еще молод, невольно внушая им, «цивилизованным людям» (т. е. с «золотым пером», пришпиленным к выношенному карману), нехорошее чувство бессилия.

Что тут было делать? Говаривают, что разделся как-то Джордж донага, намазался барсучьим жиром и — хоп! — проскользнул на Высочайшее Заседание литературных упырей Петрославля через трубу камина. Да-да, через трубу камина. То есть, натурально, начал свой путь правильно: с огня (пускай и потухшего) и труб (пускай и не медных).

Он рухнул всеми своими худыми частями на днище давно не топленного, почти бутафорского очага (того самого, словно из «Приключений Буратино», который его пращур ловко передрал у Карло Коллоди) — на днище очага, внутри которого, на предмет совращения хорошеньких графоманок, высшие чины отечественной словесности припрятывали чревоугоднические дефициты, дополнительно защитив их тощим бюстом навсегда грустного А. Чехова и тучным бюстом ложно-взыскательного И. Крылова. Итак, Джордж грохнулся-громыхнул чертом этаким на эти внештатные приманки любострастия — и выкатился — в обнимку с обоими бюстами — в самый центр паркетного зала.

Главный Упырь как раз делал свой аннуальный доклад. При виде Джорджа он обезъязычел, захрипел и, дергаясь, грохнулся замертво; назавтра его заменили упырем более либеральным (времена подступали); и Джорджа приняли.

Вот так всё и было: через пару запятых и точку с запятой.

Вообще этот трюк, сам по себе замечательный — хулиганский и чисто импровизационный, даже, можно сказать, артистический — этот трюк, словно исключение, подтверждающее правило, красиво выпадает из длинного унылого-преунылого ряда последующих действий тактико-стратегического характера: подползаний, взлезаний, подмигиваний, чего-надо-лизаний, жеваний и пережевываний, выжиманий, дожиманий, высасываний, мельканий, скольжений, приседаний, вращений и тому подобных отправлений впавшего в умопомешательство (на почве клинического чревобесия) Жоры Жирняго.

Кроме того: веселый эпизод с «вступлением в клан петропольских литупырей» можно счесть еще просто лихим молодечеством Гошки-Джордочки — в стиле русского удалого (на разрыв аорты) покрику-посвисту — с изящным аккомпанементом из Джерома К. Джерома. То есть, повторим, этот эпизод как раз стоит наособицу, выламываясь из дальнейшей поведенческой стилистики, и, кстати сказать, Джорджу, ненароком уконтрапупившему одного из Главных Упырей, он полностью сошел с рук, так как (закон биоценоза) упырь упыря, несмотря на бойкую внешнюю корпоративность, жалует еще меньше, чем кого-либо со стороны.

— 7 —

Яйцо преткновения

Весной 19... года в Петрославле случилось небывалое: сфинкс снес яйцо.

Это было покруче, чем если бы летающая тарелка взяла себе да и приземлилась на вашей коммунальной кухне. Горожане, в массе, не ведали: ликовать ли им — или помирать со страху, купаться в шампанском — или же посыпать главу пеплом.

Парочка сфинксов на Университетской набережной, заманенная сюда лживыми посулами Деспота-реформатора (и живущая в неволе уже почти триста лет), никогда до того не производила потомства. Да и как его произвести — обреченным навечно играть в гляделки? Все эти три сотни лет петрославльцы и гости города даже думать ничего такого не думали, — ясно, что сфинксы, как и «настоящие мужчины Колхиды» (анекдот), «в неволе не размножаются», да и климат, прямо скажем, не способствует — ни любви, ни даже однократной случке, ни яйцекладке... Ну и своих забот, коль уж на то пошло, что у туристов, что тем паче у петрославльцев полон-полнехонек рот — до мыслей ли про сфинксово размножение?

А тут — вот те на. Яйцо сразу было взято под контроль, на Высший Смоквенский Уровень (ВСУ) — то ли изучать его, то ли уничтожить к такой маме, то ли, наоборот, лабораторно размножать — кто знает? А может — на стол жирнягинским парткумовьям? Яйцо сфинкса — это вам не устерсы. Такого и Основатель мира сего пожалуй что не отведывал.

Слухи, в отличие от скорости, с которой размножаются сфинксы, репродуцировались, как раковые клетки. Среди петрославльцев началось непродуктивное брожение умов. Добиться каких-либо сведений от ВСУ было, как всегда, невозможно. Когда журналисты задавали какому-либо представителю ВСУ, например, вопрос: «А не усилятся ли теперь со стороны Японии, на фоне неожиданной яйцекладки наших сфинксов, ее давние территориальные притязания?» — ответом было: «Мы полностью разделяем и поддерживаем ваше мнение: на Луне, по последним сведениям нашей науки, действительно обнаружен целый ряд кратеров».

Что осталось в этой ситуации горожанам? Горожанам остались неуступчивые дискуссии в семье, ведущие к падению рождаемости и росту бракоразводных процессов; остались диспуты по месту службы, резко снижающие производительность труда — и мощный антагонизм на повсеместных уличных толковищах, периодически переходящий, от переизбытка всех принципов, в широкомасштабный мордобой.

Одни орали, что яйцо снес правый сфинкс, другие — что левый. Правый-левый — это ведь смотря как на них глядеть! Если стоять лицом к Ингерманландской Протоке, то получится, что правый сфинкс — это левый. А если стоять лицом к Аполлоновой Академии, то получается, между прочим, наоборот — левый сфинкс — он в аккурат и есть правый. И потом, если верить этой подлой дезе, насчет яйца, то выходит так, что плодоносить можно одним лишь внушеньем ума, так, что ли? Эзотерическими флюидами? То есть один посмотрел на другого — и всё, готово?! И полный порядок?! То есть — и залетел, да? Типа, и залетела? А ну-ка я сейчас на тебя посмотрю! Ты! Ты смотри у меня! Я те посмотрю! Я те буркалы-то... Мужчины, тише, тише! Тут женщины есть! Вот и сам смотри, да! Вот и сам мудак.

Через день — вдругорядь толковище. Насупротив Монферранова детища.

Потомство сфинксов из яйца — это неправильное потомство! Никакого путного сфинкса из яйца выйти не может! Да? Да! Зарубите это себе на вашем шнобеле! Во-первых, сфинксы — не яйцекладущие. Дааа?! А какие же, по-вашему. А по-нашему, по-народному, они — даже не эукариоты! Да сами вы, мужчина, не эукариот! Яйцо еще высидеть надо, а кому здесь, я, конечно, очень извиняюсь, это позволят? Развели собак, самим жрать нечего, теперь еще сфинксы на нашу голову!.. Правильно мыслит гражданин: на какую такую валюту мы будем импортировать в нашу страну фураж для угрожающе возрастающего поголовья сфинксов? Даже и не мечтайте! Потому что — неправильно всё, изначально! Начнем по порядку. Первое: сфинксов — *нам с вами подкинули!* Это не наши идейки — «сфинксы»! Разве это по-русски звучит — «сфинкс»? Свинья, фикса, сифилис! (*Одобрительный гогот в толпе.*) Так и до свинга, глядишь, докатимся — сначала джазового, а потом, я извиняюсь, и свального! Второе: не должны были лежать эти твари триста лет мордой друг к другу! Их к этому вынудили! Их так с самого начала ложили! Кто? А вот это мы с вами и выясним: кто. Да или нет?.. *(Толпа: дааа!..)* ДАААА — или НЕЕЕЕТ?!!! *(Толпа: ДААААААААААА!!!!!!)* Добровольно сфинксы ни за что бы так не легли! Это вам всё же не слоники на комоде! Сами вы слоники! От слоника и слышу! Тише, тише, дайте ему сказать! Третье: сфинксы, по своей природе и миссии, должны смотреть на линию горизонта, образованную от смычки песков пустыни с эфиром предвечной целестии... Классно трендит, сукин кот!.. Молодец, Лёха, жми! Выдай им, сучьим гондонам! Говорите по-смоквенски, гражданин, здесь вам не Гайд-парк — что это еще за целестия за такая? Целестия — это небеса. И что, это по-смоквенски, да? Да вы сами, мужчина, несмоквенский! Несмоквенский на всю голову, вы только посмотрите на себя! Тише вы, тише! Сами вы тише! В-четвертых: кто этих сфинксов над нами поставил?! Мы этих сфинксов выбирали?! Это ли наши исконные думы и чаянья?! Здесь ли истинное место сфинксов?! Здесь ли их историческая родина?! Нет. Да или нет?.. *(Толпа: нееет!..)* ДАААА — или НЕЕЕЕТ?!!! *(Толпа: НЕЕЕЕЕЕЕЕЕЕЕТ!!!!!!)* У меня еще другой вопрос, ребята: *из какого, собственно, материала* сделано это, с позволенья сказать, яйцо?! Такое ли уж оно золотое, как хотят нам внушить? И, если да, то нужны ли нам с вами, положа руку на сердце, золотые яйца? Нам с вами они не нужны. Нам нужны яйца простые! Тем более — от сфинксов. А может, блин, это вообще подлог, провокация!.. Вон, Аполлонова Академия, сукины дети, мать их за ногу: сварганили там у себя в штудиях какую-то эксперименталь-ную херовину из папье-маше — да сфинксам и подбросили. Дескать, всё высидят, а куда они, на хер, денутся? Штудийцам это — перфоманс-кон-цепция... Панк-молебен... И всё — как с гусей во-да... Такое сколько уже раз бывало! Это не сфин-ксам яйцо — *это нам с вами подбросили*! И вовсе не из папье-маше. И вовсе не Аполлонова Академия подбросила, бери выше... Верно! Нам яй-цо под-бро-си-ли!!. Нам яй-цо под-бро-си-ли!!. Нам яй-цо под-бро-си-ли!!. Громче, ребята! Нам яй-цо под-бро-си-ли!!!!!...

— 8 —

Великий Жор

Осенью того же года. Джорджу как раз испол-нилось тридцать три, и он, внутренне морщась, воленс-ноленс принимал поздравления от слу-чайных коллег по творческой (заграничной) ко-мандировке. Все они, перемигиваясь, приподы-мая брови и многозначительно покряхтывая во-круг извлеченной из загашника чекушки, делали отсылки к Христу.

Это было невыносимо!

МАРИНА ПАЛЕЙ

Прихватив кулек жареных каштанов, Джордж выбежал в парк. Живописный лиственно-хвойный заповедник был в прошлом частным имением, основанным на вершине холма вместе с замком, в котором нынче проходили международные литературные чтения и где из всех чудес «истории и современности» (замок являлся архитектурным памятником XVII-го века) — компатриоты Джорджа, то бишь гонцы Аполлона, были более всего поражены: 1. Отсутствием в окнах выбитых стекол; 2. Наличием стекол совершенно не выбитых; 3. Отсутствием в комнатах сломанных телевизоров; 4. Наличием телевизоров совершенно исправных; 5. А еще тем, что в нирваноподобных местах уединения безотказно работает слив.

Медленно пощелкивая каштанами — при этом зло, с удовольствием, сплевывая, — Джордж подошел к обрыву. Как странно. Он не был дома уже пару недель... И вот сегодня он опять купил эти каштаны, которые ему совсем не нравились. Жареная скорлупа пахла восхитительно-уютно — дымком от медленно разгорающейся древесины, но внутри... Так, вареная картофелина без соли. Но что-то всё равно доставляло огромное удовольствие... Что?.. Кулек. Конечно, кулек. В Европе, думал себе Джордж, нигде, кроме стран Варшавского пакта, не увидишь, чтобы съедобная мелочь, которой торгуют на улице, в парке, на рынке, предлагалась в газетных кулечках... А здесь, на южной границе Австрии, — здесь, где, если посмотришь далеко влево от заходящего солнца, словно бы видишь эти опасные, эти заколдованные, эти словно бы предвечно заминированные Балканы...

Но что-то было не совсем обычное и в самом кульке. Что же? Да уж, Федот, да не тот: газета другая!..

Прибалканская осень по-своему жестока, потому что ее нечеловеческую красоту не с кем разделить, а хороша тем, что ты видишь мягкие склоны холмов, которые, будто голубые волны, накатывают от горизонта и вдруг застывают у самой дороги. И еще хороша она тем, что знаешь: порыжелость ближнего леса в конце концов перекинется вдаль — словно накроет холмы огненным своим мехом местная популяция белок — популяция, рванувшая прочь, как от пожара, — и сама разносящая беспощадный огонь — и тогда холмы станут похожи на облитое золотым закатом штормовое море — волны которого не унять — ни этим льющимся маслом, ни жертвами, ни заклятьями...

Странно вдруг обнаружить себя посреди этой потусторонней, словно в ней полностью отключен звук, прозрачности воздуха. Джордж с наслаждением рассматривал склон ближайшего холма, одетого в голубую, почитай что баранью, тугим завитком, шубу, *где кудрявые всадники бьются в кудрявом порядке* (а полководец сих строк, захлебнувшись, почил в чане с парашей, о чем Джордж как-то не мог забыть) — и подумал еще Джордж, что хорошо бы попробовать на вкус этот виноград, вызревший, судя по всему, крупной дробью, — нет, горками-гроздьями маленьких пушечных ядер...

Зачесалось написать стихотворение. В те поры, когда Джордж уже освободился от пресса филологии, то есть от многих печалей гуманитарного знания, это получалось быстро, легко, изящно. По сути, он всё время находился словно бы в неком стихотворном канале. Однако писать стихи ему было просто несподручно: тогда следовало бы писать постоянно, безостановочно, нон-стоп, а жить когда́? Так что Джордж (был у него в распоряжении такой вентиль) этот канал сознательно перекрывал. И, в общем, не жалел об этом. А тут — вдруг — неожиданно для самого себя, вышвырнул каштаны, развернул кулек, разгладил газетный клочок, приладил его к камню — и на газетных полях быстро записал:

икра винограда возле царского дома
крупнозерниста, матова, словно бы ядовита —
грузные грозди чистопородного нефрита,
серьги для Нефертити, жены фараона

ах, мой супруг, Эхнатон! — говорит Нефертити, —
вот яйцеклетки русалок, дремавшие в чаще их лона,
оплодотворённые спермою лунного света,
вызревшие на плодоносной мергели склона...
эту усладу для губ — не робейте, сорвите!
ах! эти горсти бус, награбленные флибустьерами лета!

нет, — говорит Эхнатон, облаченья с супруги отринув, —
мне русалочьего винограда не надо,
если ты, Нефертити, лядвеи жарко раскинув,
дашь мне отведать вино *твоего* винограда

Стихотворение ему понравилось. Но к этому удовлетворению примешивалась иная мысль... Какая?

Это была, конечно, не мысль, а чувство — смутное, которое было сопряжено словно бы со щекоткой спинного мозга... Странное это было ощущение — такое, будто серый и скользкий шнурок мозга (Джордж его видел, словно воочию) взялись щекотать — поочередно в разных отделах — то ли пальчики, то ли кисточки, то ли, черт его знает, щупальца... быстро-быстро перебирая там и сям холодными кончиками. Но вот кончики начали — словно щипчики, словно бельевые прищепки, — мозг потихонечку защемлять — и тут выскочили откуда-то еще деревянные, с круглыми маленькими головками, палочки-молоточки, которые, как по ксилофону, взялись выстукивать свой хаотический ритм на сером, натянувшемся до предела, мозговом тяже... там да сям — там да сям... И от каждого такого ударчика грудь насквозь пробивало гальваноразрядом. Пытка за пару секунд резко набрала мощь, с ней ничего нельзя было сделать, а только кататься по земле, надсаживая глотку и выпучив глаза, а потом только выпучив глаза, уже безъязыко, — и навалилась, черным жерлом, мясорубка, и всосала с причмо-ком, и принялась неторопливо перемешивать части человечьего тела со своими блестящими металлическими механизмами.

Среди изобретений Господа Бога самым гу-манным, самым ярким — по безоглядному мило-сердию ко всякой живой твари — является сон и обморок. («Без сознания» — значит «без боли». О, совсем, совсем, абсолютно без боли!..) Вооб-ще говоря, изобретением является именно сон как таковой, а обморок — лишь частный его слу-чай. Или наоборот?..

Итак, сон. Принимая во внимание это изо-бретение, можно и впрямь уверовать, будто Бог человека любит. Обожает прямо не на шутку. По-тому что именно сон — один лишь сон — является безоговорочным, абсолютным доказательством Его любви.

Даже если этот сон беспросветно кошмарен. Ибо и кошке ясно, что самому кошмарному сну, сколь ни пузырись в нем адская деготь-смола, не перекошмарить самую лучезарную явь. О, это еженощное — а хоть бы и ежедневное — закон-ное — а хоть бы и самоуправно отвоеванное — от-сутствие! Жизнь, в сущности, милосердна, позво-ляя от себя отдохнуть... регулярно выдавая уволь-нительную... Но не тем холодным сном могилы... я б желал навеки так заснуть... чтоб в груди дремали жизни силы... чтоб, дыша, вздымалась тихо грудь... чтоб всю ночь, весь день, мой слух лелея, про любовь мне сладкий голос пел... надо мной чтоб, вечно зеленея, темный дуб склонялся и шумел.

Этот человек просил себе, в сущности, клиническую летаргию. Наверху не вняли. Он рванул в самоволку. В вечную.

А другая — «в петлю, как в подушку».

Мы можем пока — просто в подушку... Просто в подушку... Пока.

Отпуск, увольнительная, перерыв, перекур, передых, роздых, a break — о, сколь добр Господь наш Всемогущий, давая Своим лабораторным цацкам-игрушкам возможность перевести дух, снабжая их — сразу же по рождении в эту реальность — правом на дезертирство!..

...Джордж встал, с ужасом приложил руку к бьющемуся, как рыба, горлу, еще боясь вздохнуть. Потом медленно-медленно — до самого дна — всё же вздохнул. Затем осторожно повел плечами... Боли не было... Боли не было! Боли — не было!!. Он начал было отряхивать с боков налипшие листья, когда взгляд его упал на тот же склон, поросший виноградником...

И он почувствовал, что хочет есть, точнее, съесть, — нет, не виноград, а именно виноградник. Да, виноградник — целиком, весь склон, весь холм, с его деревьями, кустами, с землей, с камнями; он увидел стадо коров и затрясся от желания сожрать стадо — жадно, не разжевывая, целиком, с их молоком, мясом, шерстью, навозом, и с теми вон овцами, и с тем отдаленным табунком лошадей, и со снующими по дороге, словно крашеные мыши, автомобилями; его глаза налились кровью, он судорожно завращал ими, не имея возможности пошевелить одеревеневшей шеей, ища, что бы хотелось сожрать еще, немедленно сожрать еще; взгляд его жадно вцепился в гребни холмов — в это голубое, черт бы его взял, легато до самого горизонта, в эти всплески женских и девичьих рук, и он задрожал от безумного зуда сожрать земляное мясо холмов.

Воронья стая, осыпаясь с вечереющего неба, вдруг принялась, разрывая глотки, горланить: ПИ-АРР!!! ПИ-АРР!!! ПИ-АРР!!! А начитанный Жора с ужасом расслышал в их крике еще кое-что роберт-льюис-стивенсоновское, потаенно-детское — а теперь уже взрослое, возмужалое, страстное, лютое: ПИ-АСТРРРЫ!! ПИ-АСТРРРЫ!!! ПИ-АСТРРРЫ!!!

И он понял, что наказание рода Жирняго — куда более жуткое, чем собака Баскервилей, — неотвратимо и слепо, со всей мощью родового проклятия — обрушилось на него.

И раздавило, как муху.

ЖОРА ЖИРНЯГО

В отведенной ему комнате (когда-то здесь была Малая Библиотека замка: стеллаж, обновленный, с толстыми полками, плотно набитыми старинными фолиантами, был похож на украинский сдобный пирог с вишневой начинкой) — в отведенной ему комнате Жора рухнул на постель и зарыдал.

Он рыдал, кусая подушку, с тоской вспоминая слова няни, которые, как он думал раньше, касаются исключительно ее самой: «Лучшая подпружка — подушка». Но, кусая подушку, он с ужасом чувствовал, что хочет эту подушку сожрать; он вытирал мокрое лицо пододеяльником и чувствовал, что хочет сожрать пододеяльник, одеяло, кровать; сквозь слезы он видел стеллаж и чувствовал, что хочет сожрать стеллаж, письменный стол, кресло, торшер, дверь в ванную комнату, ванну, сожрать унитаз, умывальник, сожрать дверь в коридор, сожрать пол, сожрать окно, сожрать стены, сожрать потолок, выжрать в комнате воздух.

Единственное, что давало ему слабое утешение (обычный человеческий мозг знает триста двадцать семь тысяч способов, как себя обмануть, мозг литератора — на два порядка больше), была мысль об отце: слава богу, Елисей Армагеддонович, уже год как пребывавший в лучшем из миров, не мог знать об этом кошмаре...

...А ну как наоборот: оттуда-то как раз видно зорче?

— 9 —

Малый Хирш

Воротясь в Петрославль, Жора мигом кинулся к специалистам-экспертам по брюшным потрохам.

Гастроэнтерологи словно того только и ждали. С видом жестоких ацтекских жрецов рьяно ринулись они нашпиговывать Жору разнокалиберными шлангами, трубками, трубочками — невозбранно вводя их Жоре в прямо противоположные отверстия — беззащитные и словно бы изумленные медицинским глумлением.

Однако, несмотря на диаметральный подход, заключение, сделанное в неделю, было единым: *здоров, как боров.* (Это был именно что медицинский диагноз, хотя и писаный в формах условного тождества, т. е. на жуликоватой латыни. Однако же, с житейской точки зрения, он был неверен: Жора, прибавивший за неделю девять кило, всё равно напоминал пока скорее отощавшего лося.)

А ему, во время тех похабных жреческих действий, хотелось сожрать пластиковые трубки, стеклянные сосуды, кушетку, металлический прибор с цинично замершей на нуле красной стрелкой, двух пергидролевых медсестер, старуху-уборщицу с яркими, как у покойника в морге, накрашенными губами, елозившую мокрой тряпкой по ножкам хлипкого столика, — а также: тряпку, швабру, столик...

ЖОРА ЖИРНЯГО

На восьмой день, по величайшему блату, Жора попал без записи к известному психиатру. Это был потомственный психиатр, по фамилии Хирш, родом из остзейских немцев. Громкая слава его (уже почившего в бозе) отца, Франца Германовича Хирша, как это всегда злокозненно оборачивается для прямых потомков, хотя и открыла широкую, аккуратно расчищенную дорогу для сына, но свела почти на нет шансы его собственной славы. В паспорте он, на законных основаниях, значился как Отто Францевич Хирш, но, несмотря на то, что «Отто Францевич» звучит красиво и четко, почти генерал-губернаторски, за глаза его звали исключительно «Малый Хирш» и говорили, что он еврей.

От всего от этого у него с детства возник сложный психопатический комплекс — он, наследственный психиатр, собственно говоря, жестоко заикался, до крови ковырял в носу, нередко мочился в постель, причем, что самое ужасное, по собственному желанию; его одолевал панический страх проглотить ненароком картошку в мундире (даже мысль об этой роковой картошке вызывала у него жесточайшую фобию); запершись в кабинете, он брался — десятки раз на дню — пересчитывать, под лупой, волоски на своем лобке, etc.

На протяжении многих лет, тайно и, увы, безрезультатно, он лечился у своего коллеги, Аркадия Самуиловича Райхерзона, о котором речь будет позже.

Внешне Малый Хирш был, что называется, субъектом без возраста и почти что без пола, с неряшливой наклейкой седых щетинистых усиков, с водянистыми, лживо-оптимистическими глазами, а также мышиного цвета жиденькими волосами, разделенными прямым восковым пробором, — словно у лубочного попа или опереточного кабатчика. Его в целом невыразительную физиономию, лишенную естественной мимики, украшал мощный, простонародно вздернутый нос, будто бы раз и навсегда вставший на дыбы — и будто дающий фальшивое обещание *лихости и бесшабашности* — да еще, пожалуй, румянец — но не молодецкий, а марганцовочный, винно-склеротический.

У этого психиатра, как с их братом часто бывает, водилась, кроме того, неотвязная невротическая привычка, которую он не мог скрыть даже на публике: стоило ему чуть-чуть понервничать, он, не щадя своих пальцев (с обгрызенными до мяса ногтями), принимался яростно играть-поигрывать специальным психиатрическим ключиком (служащим для запирания-отпирания покоев на буйно-помешанном отделении) — блестящим металлическим цилиндриком, висящим у него на груди, словно судейский свисток скабрезного школьного физрука.

По утрам его к тому же посещал спазм бедренных мышц — еще одна публичная демонстрация всеуравнивающей человечьей немочи. В такие минуты, когда он, грузно валясь набок и тут же подстрелено подскакивая, т. е. в ритме акцентного стиха, перемещал свое тело по длинному, как чулок, больничному коридору, походка его была какой-то развинченно-ортопедической, словно таковая у обессилевшей от истерического вопля бабы-кликуши — как раз перед припадком падучей. Правда, падучая здесь — не лучшее сравнение. Наилучшим Автор считает таковую походку одной французской бабенки, из очень неплохого кино: при ближайшем рассмотрении оказывается, что она, будучи совсем голой, не вполне боса: на одной ноге — сапог с высочайшим каблуком, а вот на другой — ничего. Такая поступь была и у Малого Хирша.

— Н-н-н... Н-нуте-с... — психиатр почтительно привстал из-за стола и даже осклабился (т. е. сделал свое лицо резко перекошенным, словно от флюса).

Жоре он показался меньше ростом, если сравнивать с мелькнувшим видением в коридоре — намного меньше — здесь, в своем просторным кабинете, неуютном, похожем на конференц-зал.

Покойный Франц Генрихович, о чем Отто Францевич был многажды понаслышан (сохранились и фотографии), пользовал от обжорства Жориного (графско-пролетарско-прохиндейского) пращура — не вполне, впрочем, успешно, для

Жориного пращура, но зато успешно для укрепления своего собственного рода. И вот теперь... Честь-то какая! Малый Хирш бешено набросился на свой бедный судейский ключик...

К ужасу Жоры (предполагавшего увидеть в качестве умиротворяющего дизайна, по крайней мере, солидного пластмассового мужчину со съемной брюшной стенкой, за которой открывался бы змеевик зеленовато-сизых кишок, а с правого верхнего боку, толстущей сургучной пиявкой, присосалась бы печень — или, с учетом специфики недугов, — полностью оскальпированную голову с легкомысленно откинутым на металлических петельках теменем — и в этой позиции похожим на крышку унитаза — под которым, под теменем то есть, было бы обнажено одинокое, серое, никому не нужное ядро грецкого ореха) — к ужасу Жоры, в кабинете оказались лишь белые стены — голые, как потолок. На черных оконных стеклах, прозрачными брызгами, дрожали дождевые капли. Застывая, они превращались в белые капли нутряного сала — грязноватого нутряного сала уличных ламп.

— Это, возможно, лишнее, — напористо приступил Жора, — так что я заранее прошу у вас прощения за дополнительное уточнение, но мне хотелось бы еще раз получить ваши заверения в том, что мои визиты к вам останутся строго конфиденциальными.

ЖОРА ЖИРНЯГО

(«Каждому свое, — завистливо подумал психиатр, — ишь, как чешет! Мне бы так: я бы гала-гала-гипноз со сцены Колонного Зала учредил... По Центральному бы телевидению, каждый вечер — да на всю бы держиву, эх...») Он собрался было уже сказать «Вы — мой почетный аноним!», но, смутившись, мучительно пропыхтел:

— Вы — мой п-п-п-п-п... мой п-п-п-п... — тут он медленно и расчетливо вдохнул, как делал всегда, преодолевая приступ заикания, и вполне членораздельно закончил: — Вы — мой почетный онанизм!..

Воцарилась пауза, во время которой Жора мстительно наблюдал, как физиономия психиатра быстро превращается в фонарь для фотопечати.

«Фрейдистские оговорочки-очепятки... Растяпа... Осел...» — вяло думалось Жоре, но вдруг эту вялость как рукой сняло. Его обуял дикий, неприличный, огнем пожирающий глад. Он опрокинул, как былинку, Жору-писателя — и зашвырнул его в смердящую калом пещеру — к урчащим и воющим австралопитекам.

Жора Жирняго больше не был Жорой Жирняго, мыслящим существом, мужем своей мыслящей жены, наследником властителя дум, отнюдь не последним членом пока еще уважаемой социальной страты: он не был больше человеком вообще. Каждая клетка из миллиардов его клеток жаждала лишь одного, самого простого, самого мучительного и неутолимого: жрать, жрать, жрать,

жрать, жрать! — слепой организм, механическая сумма слепых хищных клеток, рвался сожрать дурака-психиатра вместе с его никуда ключиком, ведущим только к буйнопомешанным, этот стол, оба стула, шторы, брошюру Хендрика Пейтера Марии ван Дайка «Довольствуйся тем, что имеешь», облезлую дверь, люстру в форме груши с висюльками, истертый паркет...

Где-то вдалеке, может, в чужой книге, в чужой жизни, Малый Хирш ровным голосом, жуликовато (то есть витиевато) объяснял Жорин недуг «общим переутомлением» и настоятельно рекомендовал гипноз.

А что еще он мог рекомендовать?

Малый Хирш лечил всех и вся исключительно гипнозом, о чем сумасшедшая, вечно растрепанная Жорина фанатка, устроившая ему этот психиатрический блат, не успела или не сочла нужным Жоре сказать. А ну да поможет? Чем богаты, тем и рады. И потом: как говаривал классик (коего фанатка не знала, храня верность лишь Жоре, одному Жоре) — случается, что средство, рекламируемое факирами всего мира в качестве панацеи, излечивает по крайней мере от насморка: и на том спасибо.

Гипнозом Малый Хирш лечил всё, что двигается и, главным образом, то, что не двигается: детей с синдромом Дауна, детей с церебральным параличом, жертв жестоких разборок, несчастных случаев и войн, прикованных к постели из-за отсутствия конечностей или травм спинного мозга; лечил он даже бесплодных женщин, невольно вызывая в их теряющем бдительность, то есть медленно угасающем сознании — раз... два... три... четыре... пять... — бессменный бестселлер про замужнюю девственницу и ловко подоспевшего голубка...

— Вряд ли я поддаюсь гипнозу, — с достоинством заметил Жора.

Так, на беду, и оказалось. Сколь долго в дальнейшем Малый Хирш ни волховал за спиной Жоры, внушая тому, что в затылке у него сосредоточилась «приятная свинцовая тяжесть» (о господи! вот так страна! «приятная» свинцовая тяжесть в затылке — ну-ну!) и ласково-ласково приглашая упасть, Жора стоял так вертикально, так безнадежно прямо — что, казалось, привяжи к нему верёвочку и подними на воздух, он мог бы служить идеальным отвесом.

Одновременно с этим, в самом начале сеанса, когда Малый Хирш только еще принимался за свои заклинания, всегда раздавался грохот в приемной. Это послушная, учёная, очкастая жена Жоры, сидящая за дверью на стуле, падала в указанном доктором направлении.

— А всё же таки мы поборемся, — не сдавался лживо-оптимистический психиатр, деньги для которого никогда не были лишними, поскольку лечился он сам. — Бывает, что пациенты по команде не падают, но, как положишь их на топчан, засыпают. Приходите во вторник, в восемь вечера...

Надо сказать, что здесь, в кабинете гипнотизера, сошлись, к несчастью, два прямо противоположных (вода и пламень, коса-на-камень) мировоззрения. Малый Хирш был сыном своего папаши, то есть психиатра, и был он, соответственно, двумерным материалистом (жаль, жаль), а Жора Жирняго являлся, как ни крути, внуком своего дедушки и, несмотря на захлестнувшую его животную алчность, был в определенном смысле рафинирован, то есть, попросту говоря, зело до словес красных охоч.

Однако в той механической колыбельной, которой электронным голосом пытался убаюкать его — то и дело поглядывавший на часы — Малый Хирш, не было ни рафинированности, ни красных словес. Филологические уши Жоры — его нежнейшие слуховые проходы, его каналы связи с тонким миром, его сенсуальные черепные влагалища, ловко сработанные для вхождения аполлонических звуков, его, черт возьми, наиважнейшие инструменты в процессе добывания хавчика — сразу же уязвила одна фразочка, гвоздем торчащая где-то в середине этих очень не изобретательных эскулапских камланий. Фразочка была такая: «...гипноз уже оказывает на вас свое могущественное влияние и воздействие».

— Какая разница между «влиянием» и «воздействием»? — беспокойно заворочался на топчане Жора. — Вы мне можете объяснить?

— Тихо, тихо вы же спите, — поигрывая ключиком, открывающим рай для буйных, напомнил Малый Хирш и, энергично зажмурясь, показал: закройте глазки.

— Да ни хрена я не сплю!.. — возмутился Жора и, для вящей наглядности, взбрыкнул.

— Вы не можете судить... — осклабился Малый Хирш. Он делал это, как бдительный официант, ни на миг не забывающий о чаевых. — Весьма часто пациенты полагают, что они не спят, а на самом-то деле... Да... А на са-а-а-амом-то де-е-е-е-ле... ну, спите же, спите, Георгий Елисеевич... А на самом-то деле они как раз спят.

— Нет, правда: вы можете объяснить разницу?!

Жора был барчук, а потому считал, что за свои деньги он вполне может заставить зайца бить в барабан.

Психиатр оказался зайцем узкоспециализированным, то есть туповатым. Ни бить в барабан, ни (тем паче) влезать в джунгли филологии — он не мог.

— Тогда, пожалуйста, не проговаривайте для меня эти слова, — попросил (на том же барчуковом основании) Жора. — Или выберите что-то одно...

Фраза тавтологична! Она меня отвлекает. Можно сказать, травмирует...

— Договорились, — словно бы вдумчиво, сострадательно и вместе с тем отстраненно — как и положено специалисту — отозвался психиатр.

Страннейшая наука — психиатрия. Самая подозрительная и гнусная в сфере гносеологии. Вроде бы: законно входит в состав материалистических медицинских наук. Но материалистические науки категорически отвергают такую субстанцию как «психос», то есть душу. А именно: не признают ее напрочь, и всё тут. И вот получается, что психиатрия, отвергающая душу, выбрала для себя название в ее честь. Выходит, как в анекдоте: вы, Рабинович, или фамилию смените — или уж крестик снимите. А поскольку упомянутая наука имеет дело с тем, во что не верит сама, — единственное избавление от печалей исстрадавшейся нелегитимной субстанции — это и впрямь «приятная свинцовая тяжесть в затылке»...

В следующий сеанс, который, кстати, проводился на другой же вечер, Малый Хирш завел прежнюю пластинку.

Граммофонную иглу, которая беспроблемно добралась до слов «влияние и воздействие», в этом месте вовсе не заело, не заклинило, она прошла его безо всякого напряга, механически легко, гладко — и, с механической же бездумностью, по-

ползла себе дальше, оставляя в нежных слуховых проходах Жоры свежий кровавый след.

Жора повторил просьбу.

Психиатр кивнул.

В следующий раз повторилось то же самое.

Тогда, на четвертый раз, Жора высказал это свое пожелание непосредственно перед самим сеансом.

Психиатр кивнул.

Когда барабанной перепонки напряженного, как перед ударом, Жоры коснулась фраза «...гипноз уже оказывает на вас свое могущественное влияние и воздействие», когда заставила она сработать подневольные молоточек, наковальню и стремечко, Жора рывком сел, зло сбросил с топчана ноги, резко согнулся, налился багровым соком, обулся — и, не обращая внимания на яростно истязающего свой ключик Малого Хирша, в бешенстве вышел.

...В углу пустой приемной, сидя на неудобном, кофейного цвета, венском стуле, глубоким гипнотическим сном спала его верная половина. Она не грохнулась на пол в этот раз только потому, что справа ее подпирала стена, а слева — огромная сумка, набитая всякой снедью, предусмотрительно приставленная к ней Жорой. Внушительные толчки, которыми наградил спящую супругу ее категорически неспящий супруг, не оказали на нее, как и раньше, никакого влияния и воздействия. Она продолжала безмятежно спать, даже когда Жора, срывая на ней злость за сегодняшний сеанс, за прошлые сеансы — и вообще за все сразу — основательно вцепился в ее крашеные паклевидные кудри...

По-куриному всквохтывая, она проснулась лишь тогда, когда Малый Хирш — злорадно урывая таким образом запоздалый реванш — ловко произвел над ее теменем размыкательно-круговой, расколдовывающий жест.

— 10 —

«За сто тысяч убью кого угодно»

Дома Жора рухнул на диван (всю эту неделю он спал отдельно от жены, в кабинете) и снова, подавляя рыдания, зверски рыча и захлебываясь слюной, принялся грызть подушку. На сей раз он делал это особенно рьяно: из рваных дырок посыпались-полетели мягкие хлопья... Он закашлялся...

Против чего я воюю?! — взывал про себя Жора. — Против природы? против судьбы? Кто будет упираться, она проволочет за волосы... Что такого особенного мерзопакостного делали мои предки? Ну, подличали... ну, жрали в три горла... Все хотят жрать, да не всем дают... А что мне еще остается делать, как не продаваться?.. Товар — деньги — товар... Но за мой товар не дают денег... много славы, ноу мани. Надо уметь продаваться...

отдаваться... торговаться... Деды умели, и я смогу. Что тут позорного? Мои же деды, не чужие. Почему я должен изобретать что-то новое? А ничего нового нет! Как это Катала сказал Бунину (он, дурак, такими откровенностями, как и дед, направо-налево сыпал): «За сто тысяч убью кого угодно. Я хочу хорошо есть, хочу иметь хорошую шляпу, отличные ботинки...» Сто тысяч — сколько это на теперешние? Ага, «теперешние»! Сегодня — рубли, завтра — картофельные очистки, а послезавтра — не реформа, так кризис, не кризис, так путч, не путч, так дефолт... Того и гляди, крыс жрать придется... Мерзейшая страна... «Когда я фрезовал на "Арсенале"...» Ну так он свое мимолетное фрезование продал в конце концов куда дороже, чем мой дед — свое псевдодворянство и псевдобольшевичество, вместе взятые!.. Мерзейшая страна...

С матерным словом на устах он перевернулся животом вверх. Было нестерпимо жарко. Его ладонь начала медленно блуждать по приятно-прохладной спинке кожаного дивана... Он еще немного поустраивался, поерзал, повздыхал... Было совсем тихо. В этой тишине нестерпимо громко стучал большой железный будильник «Мечта», доставшийся семье от деда-жуира. Прохиндей дед! И вещи его прохиндейские! Глумливый будильник, хрипя всеми ржавыми своими пружинками, знай себе хрюкал: жрать-жрать-жрать-жрать-жрать-жрать...

Нет, это было нестерпимо! Жоре захотелось запустить в будильник подушкой, но для того требовалось чуть пошевелить задницей, затем напрячь руку... затем, что самое неприятное, встать и принести подушку назад — совершить целый ряд физических действий то есть, а в этом отношении он был первозданно ленив. Выручил проворный небрезгливый мозг, который работал, как всегда, в бойком режиме и, поставляя самому себе — гуманно блокирующие волю — словесные суррогаты, избавлял тело от злой необходимости двигаться, — короче говоря, Жорины увертливые извилины с ходу подставили в это хрюканье другой текст: черт-вас-возь-ми!-на-всех-на-класть!-про-клясть!-на-пасть!-пой-ду-во-власть!..

Наконец звуки исчезли...

Жора уснул.

Он так и остался лежать до утра: потные лицо и шею облепили куриные перья... Они торчали густо, образуя словно кафешантанное боа. Вдобавок к этому боа, в обнаженных зеркалах бессознательного, Жоре снилась аппетитная, очень аппетитная певичка из венского кабаре.

— 11 —

Эн-факториал блинов и букетов

За упомянутую неделю Жора поправился еще на десять килограммов. Сначала он думал было сделать модную операцию по уменьшению желудка. Однако один знакомый зоолог, некто из бывших коллег отца, обратил его внимание на то, что вот курица, например, обладает маленьким желудком («Зато каким вкусным! — взрыдало всё в Жоре. — Каким вкусным, Господи! Особенно когда потушат его хорошенько с морковочкой... Или же в студне, если через мясорубочку пропустить, с чесночком, с крутыми яйцами...») — так вот: курица, например, обладает маленьким желудком, зато и вынуждена подклёвывать то тут, то там, то тут, то там, безостановочно. Малый-то объём опустошается гораздо быстрей! И, кроме того, — вопрос вовсе не праздный — где изыскать, как бы это помягче выразиться, финансовые источники для такой операции?

Однако решение следовать неумолимым мойрам (решай — не решай) подвинуло Жору не на медицинскую, а на гастрономическо-издательскую операцию. Операция называлась «Выпечка блинов». У Жоры, в самом начале его пути, выходил, как было сказано, сборник превосходных рассказов. Их было десять, и все они сияли, как десять черных жемчужин на белом утрехтском бархате. В оглавлении первого издания они располагались следующим порядком:

Утро

День

Вечер

Ночь

Весна
Лето
Осень
Зима

Жизнь
Смерть

В названиях прослеживалась завораживающая простота классицизма, прекрасно контрастирующая с поздним барокко самих рассказов. Итак, декалог был изумительный. Но один. Всего один. Назывался он «Утро вечера».

Любой старшеклассник обязан ответить на вопрос: какое количество комбинаций можно сделать из 10-ти (десяти) названий.

Правильно, эн-факториал 10-ти равен числу 3 628 800. То есть: имея в загашнике всего 10 (десять) — одних и тех же — рассказов, можно выпустить более трех миллионов *самых разных* книг!

Надо отдать Жоре должное. Несмотря на зверский аппетит, он, в своих комбинациях, так и не дошел до трех миллионов «разных» книг. Он даже до миллиона-то не дошел, а вот Остап, в своем прохиндействе, при попутном (попустительском) ветре издательств, обязательно дошел бы до миллиона! И тому есть целый ряд причин: из принципа; из любви к круглым, похожим на россыпи круглых бриллиантов, цифрам; из осознания того, что ценно только экстремальное —

и что совершенство присуще прохиндейству в той же степени, в какой и античным статуям.

Жора, в отличие от Остапа, был не то что «скромнее» (неуместный подход к делу) — ему явно недоставало удали, размаху, куражу.

За девять последующих лет (забежим вперед) он выпустил *всего-навсего девять новых* книжек: «Вечер», «Ночь», «Утро», «Весна», «Лето»... уф! (см. выше).

Вот образец оглавления (ср. с предыдущим):
Вечер

Ночь

Утро

День

Осень

Зима

Весна

Лето

Жизнь

Смерть

Почему эти книжицы удавалось втюхивать — точней говоря, впаривать — читателю как *новинки*? Так ведь не все так устойчивы к гипнозу, как Жора!

Как раз наоборот, массы читателей, народные массы, просто *массы* (бррр), толпы, стаи, стада — как раз массовому гипнозу чрезвычайно подвержены. Это вообще основное свойство *масс*. А если было б не так, так околели бы все гипнотизеры мира, включая не только бедных эскулапов, но рангом — ох куда повыше!

Да: голый король... Явление вненациональное. Хотя нечто специфически-национальное — так сказать, воспитанное именно отечественной историей, здесь тоже прослеживается, а именно: мировоззрение немалой части читателей было пестовано во времена присказки: «Содют — значит, есть за что» и «Содют — значит, не просто так», — той самой (глубинно-народной) присказки, которая блудливой рукой пиарщиков трансформируется в «Издают — значит, есть за что» и «Издают — значит, не просто так».

А что на это возразишь? Вообще подавление — не то чтобы личностной воли — а уничтожение на корню самой способности к самостоятельному мышлению, способности к мысли как таковой (чем, исходя потом и кровью, всю жизнь целенаправленно занимаются некоторые тибетские монахи) — это уничтожение далось относительно легко и быстро на гораздо более равнинной, чем Тибет, территории, чему примером служит следующая горестная медицинская притча. Естественно, на экзамене — естественно, по анатомии (отбросьте, господа, скабрезные свои усмешки, речь пойдет о другом) — так вот: в медицинском институте на экзамене по анатомии студенту предлагается определить особенности двух скелетов. (Этот раздел относится к строению опорно-двигательного аппарата. Принимая во внимание пропорции костей черепа, тазовых костей, входа в малый таз и т. п., студент должен определить, как минимум пол, приблизительную возрастную группу, наличие травм, etc. — *Т. С.*)

Студент безмолвен.

Экзаменатор. Что вы можете сказать по поводу двух этих скелетов?

Молчание.

Экзаменатор. Присмотритесь хорошенько... Видите что-либо узнаваемое?

Полное отсутствие звука...

Экзаменатор *(гневно).* Но вы хоть что-нибудь можете мне сказать?! Хоть что-нибудь?!

Звенящая тишина.

Экзаменатор *(теряя контроль).* Чему вас учили целых полтора года?!. Целых потора года! Что же вбивали в ваши дурацкие головы?!. Что, я спрашиваю, что?!

Студент *(не смея поверить, восторженно).* Неужели это и впрямь... Маркс и Энгельс?!.

...Вот вам и причины, почему в Смокве, на родине книгопечатника Ивана Федорова, яичница выдается за Божий дар — притом с такой поразительной легкостью. Данная «легкость» цветет и колосится на хорошо унавоженной почве.

Что же это за почва? И: что для нее является навозом как таковым?

Два вида навоза знает та тяготеющая к физической энтропии почва: преступность и беззаботность. Ну, это как навоз свиной и навоз коровий.

Преступление: обыденный фон. Новостные ленты приелись. Праздный глаз цепляет кусочек фразы «...в извращенной форме». Ну да: кто-то кого-то заставил совершить нечто неповседневное (???) — да еще «в извращенной форме».

Край сознания лениво фиксирует: ЗАСТАВИЛ.

Насилие, насилие — очередное, внеочередное насилие...

Неужели я, Том Сплинтер, отщепенец, маньяк, посягну на святая святых? То есть на прекраснодушие задолбанного гаджетами наследника кроманьонцев? Неужели я, Том Сплинтер, буду ЗАСТАВЛЯТЬ читателя — задуматься? О боже! Только не это! Я не тать рода человеческого! (Хотя, прямо скажем, и не фанат.)

...Эта фраза — «заставляет задуматься» — была наиболее частой в дидактических завершениях при «разборке морального облика» какого-нибудь джазового фаната, носителя «неформатного» хайра, врага своего времени. Теперь она стоит во всех аннотациях к малотиражным книжкам, где есть предложения, просто по количеству слов, превышающие лимит, установленный охлократом, олигархом, олигархом-охлократом и всяким прочим неограниченным вахлацким контингентом.

Льзя ль ЗАСТАВЛЯТЬ человека совершать нечто, совершенно противоестественное человеческой природе?! Ишь ты гусь — «заставляет задуматься»! Том Сплинтер, ты — бастрад, мерзавец отъявленный! По-народному — гондон. Таких поискать!

Заматерелый преступник. Извращенец. Ставишь подножки баранам и овцам человечьего стада. И, кстати сказать, духовным их пастырям. Вот таким как Жора, к примеру. Чем тебе Жора не угодил?

Я, Том Сплинтер, принципиальный отщепенец, считаю, что писателей, включая меня, следует всенепременно стерилизовывать. Ну, как цыган, евреев, педофилов, серийных насильников, убийц. Да, именно так: настоящих писателей следует подвергать поголовной стерилизации!

Но вернемся к нашим блинчикам. Вообще n-факториальные блинчики являются средством прокорма, конечно, не только для кухарок от словесности, состоящих в единой криминальной группировке с барыгами-книгопечатниками. Ибо: а на что же тогда, скажите мне, эти гордо несущие печать протестантской трудовой этики, зарубежные пчелки? Эти перепончатокрылые стебельчатобрюхие трудоголики?

Добавят они кленового канадского сиропчика, растопленного масла, сбитого из млека айовских коров, яблочного сиднейского джема (Предисловие, Послесловие, Комментарии) — и, глянь, готовы блины по-канадски, по-американски, по-австралийски. И смотришь на томик в глянцевитой обложке — глазам не веришь: там даже и не Георгий Жирняго в качестве автора на корешке значится — вовсе нет! — а какая-нибудь Милена Стибрилл (профессор Плуттсбургского университета, США). Ибо: комментарии — на лежбищах «академических ничтожеств» (В. Набоков) — всегда в цене. Комментарии ценятся (Автор имеет в виду именно денежное содержание оценки) — намного, намного выше давшего им жизнь произведения. Оно, произведение то есть, — рядом с комментариями — выглядит как разоренный гангстерами фермер, которому посчастливилось пристроиться швейцаром в облюбованный ими же элитный клуб. Политкорректные гангстеры держат того папашу в своем клубе, ясное дело, из филантропии. Так что же: комментарии — важнее произведения? — спросите вы. Yes, sure.

Воистину: широко распростер постмодернизм руки свои в дела человеческие!

А что уж говорить о составлении антологий? То есть n-факториальных букетов?

Ведь это же, японамать, настоящая икебана! Ведь вот беленькие да нежно-розовые цветочки можно под букетик невесты отформатировать, а добавь к ним сухую веточку академического комментария — и вовсе другое значение будет, типа: Просветление духа в первую четверть молодой луны.

А ну как — те же цветочки — да немного в другой комбинации?

То-то же.

И снова — в другой?

Икебана — она и есть икебана.

N-факториальные букетики.

И, конечно, она, трудолюбивая пчелка, не «за так» цветочки смоквенские изучает-высасывает — нет, она оказывает им, еле выживающим в районах перманентного смоквенского бедствия, умеренную (см. ниже) гуманитарную помощь.

То есть летает госпожа Стибрилл без устали — по Смокве-граду, по Петрополю, по смоквенскому царству как таковому — туда и сюда, туда и сюда, дабы «из своего кармана» (ну-ну) заплатить каждому выдоенному ею цветочку по пять американских долларов. Видимо, стратегия американских первопоселенцев по отношению к аборигенам (стеклянные бусы в обмен на слитки золота) поддерживает это просвещенное членистоногое как морально — так и производственно: непосредственно эффективным опытом пращуров.

Но не получается у Милены вручать цветочкам по пять долларов так быстро, как ей хотелось бы — да, очень хотелось бы ей делать это быстропребыстро, чтобы — как можно стремительней — покинуть районы энигматических кошмаров, — не получается у Милены быстро вручать цветочкам по пять долларов в одни руки, ибо каждый из цветочков — за те стеклянные бусы — ее долго-долго, то есть очень прочувствованно благодарит.

А вожди смоквенских писательских племен, такие же нищие, как и подведомственные им цветочки, наготу телесную еле прикрывая холодными собачьими медальками, получают от Милены вдобавок лоскутки красной материи. То же самое то есть, что получали в свое время их эзотерические предки: ирокезы, чероки, сиу, камбеба. И каждый рядовой смоквенский цветочек, равно как и каждый (украшенный боевым плюмажем) писательский вождь Смоквы-града, Смоквы-державы, закатывает зарубежной пчелке, кроме того, разнузданно-задушевный половецкий пир, обильно орошая его необъяснимыми — даже для всей планетарной славистики, вместе взятой, — финансовыми источниками. Но она, пчелка, сколь ее ни корми, всё равно в сторону аэропорта смотрит, всё равно рвется расслабиться под air conditioner'ом в улее «Боинга-737», дабы поскорей унести от медоносных, но заминированных смоквенских лугов членистые свои ноги — то есть сделать это намного, намного раньше того, когда в ирокезах, чероки, сиу, камбеба, возможно, проснется самосознание.

ЖОРА ЖИРНЯГО

Итак, за отчетный отрезок времени Жора Жирняго стал почтенным автором 10-ти (десяти) книг. Это — если не считать зарубежных изданий (названий) всё той же одной-одиношенькой книжки, — таинственных зарубежных названий, которые у читателя, не поднаторевшего в языках, вызывали священный трепет перед масштабом этой как бы высоковозрожденческой — воистину леонардо-да-винчиевской — потенции.

Взять для иллюстрации случай с *настоящим классиком*: «Sportsman's Notebook» by I. S. Turgenev. Что это — неизвестная науке рукопись под названием «Ноутбук спортсмена»? Какой еще ноутбук (лэптоп) во времена Тургенева?! Или певец русской природы *гениально предвидел*? А то, может, сам — ото всех втихаря — на сеновале изобрел? Ишь ты, гусь: небось, что ни час — то эротический чат с Виардо!..

Постойте, ноутбук — это, вроде, тетрадь. Так что же — «Тетрадь спортсмена»? Зачем, елки-палки, спортсмену — тетрадь? Пропущенные и забитые голы записывать? И был ли Тургенев, хотя бы в молодости, настоящим спортсменом? Это же не голкипер Владимир Набоков и даже не гребец Ги де Мопассан!

Вот сколько — вокруг одного лишь названия — разговоров. Пиар-самокрутка, самораскрутка, самозавод...

А те, кто знает, что это «Записки охотника»... Сразу вспомнят школу... мглу за окном... вечно насморочную училку... страх перед выволочкой у завуча...

В примечаниях запишем, что нами констатируются лишь *результаты* данной издательско-надувательской деятельности; сам же *механизм* этой и последующих продувных акций, иначе говоря, «ноу хау», является © (копирайтом) эксклюзивно Георгия Елисеевича Жирняго и охраняется Законом об авторском праве.

А что, все ли акции были такие продувные? Конечно, нет.

Женский журнал!

В глянцевом издании «ВУЛЬВА-Б», дочерней фирме мужского элитарного журнала «ВОЛЬВО», Жоре страшно обрадовались. Но тут же его и разочаровали: как и следовало ожидать, Жора интересовал редакцию исключительно на предмет его ханско-мандаринской фамилии. А коль скоро он собрался ставить под своими текстами имена — Таня Фетистова, Эльвира Бужко, Ружана Домогацкая — тогда, увы, это не в отдел рассказов. А в какой же? Ну, скажем, в отдел «Письма читательниц». Или «Любовные советы бабушки Эльжбеты». Но там платят гораздо, гораздо меньше.

После этого Жора решил взять приступом самую гламурную крепость Смоквы-града — журнал «ПОЛИУРЕТАН». В свое время г-жа Жирняго переправила г-же Зовчак (дочь которой на тот момент как раз заведовала отделом полиуретановой прозы) свою вымуштрованную педикюршу Ксению. И так, посредством этой педикюрши, семьи буквально породнились домами. Однако их родственные связи были таковы, что г-жа Жирняго зафиксировала в загашнике своей памяти педикюрный должок г-жи Зовчак, — а г-жа Зовчак, уже давно ставшая продувной столичной смоквитянкой, всё время пыталась отдариться, но ей мягко давали понять, что ее знаки добросердечия, даже в сумме, платежного эквивалента не составляют.

И Жора позвонил в «ПОЛИУРЕТАН». Там тоже сначала и слышать не хотели ни о каком псевдониме.

— Естественно, — жахнула Жоре прямо в лоб дочь г-жи Зовчак, Ядвига (прозванная завистниками «Баба-яга» и «Баба-яд», что звучало в одно слово: «Бабаяд», подчеркивая словно бы мужской пол обладательницы такого носа, голоса, волоса, норова), — естественно, — жахнула Ядвига-Бабаяд, — я понимаю: хочется и потрахаться, и невинность соблюсти. Это я оччччень хорошо понимаю!.. Не получится.

— Двигуся... — светло улыбнулся Жора, — а помнишь, Гуся ты моя родная, Ксению петрославльскую?..

— 12 —

Алиментарные стёжки-дорожки

Через пару дней Жора, пыхтя и покряхтывая, втиснул свои телеса в кресло перед компьютером, помигал, задумчиво посмотрел в окно, тряхнул головой, и, с мечтательным выражением Вана Клиберна, предвкушавшего триумф на Московском международном конкурсе, решительно ударил по клавишам. На экран, чертями из табакерки, выскочили слова:

Екатерина Карсавина

ГОЛУБИНАЯ ПОЧТА,
или ЧЕЛОВЕЧЕСКИЙ ГОЛОС

Жора тяжко вздохнул. Он вспомнил свои визиты к Малому Хиршу, — затем, стиснув зубы, целых три минуты честно старался побороть жесточайший позыв на жор, затем ринулся к холодильнику и — как всегда в таких случаях, мало соображая, что делает, — уничтожил недельный запас семьи.

Пришибленно, словно выпоротый кот, вернулся Жора к компьютеру... Тупо вперился на экран... Но вот радужные полиуретановые перспективы, во весь свой размер, предстали пред внутренним его взором. Жора приободрился... подобрался... и... эх, таччччанка-смоквитянка! — из-под перстов его понеслось:

«Это был сайт, где женщины преуменьшают свой возраст, а мужчины преувеличивают габариты члена. Где женщины преувеличивают объемы бюста, а мужчины преуменьшают размеры лысины. Где женщины преуменьшают количество имеющихся детей, а мужчины, не ведая про всех своих чад, их не упомянают, но зато преувеличивают щедроты своего сердца и кошелька.

Положа руку на сердце, ей было рановато шастать по таким сайтам. В свои двадцать три она вполне могла бы встретить сексуальную половину и на внекомпьютерных путях. Однако события последнего полугода, когда, вырвавшись наконец от родителей, она вселилась в собственную квартиру, не принесли ей ничего, кроме разочарований. Это была настоящая лавина "романов", обманов, обвалов, скандалов и слез, причем новые подлецы сменяли прежних со скоростью клиповых мельканий — и тут же сами оборачивались еще более отъявленными негодяями; фигурки безвольно валились друг на друга по "принципу домино", обваливая последующие — цепочка уходила в дурную бесконечность, пока Рената не решила оборвать ее сама.

И оборвала. Она исключила из словаря мечты слова "муж", "жених", "друг", "бойфренд", даже "любовник" — последнее, как ни крути, происходило от слова "любовь". Вот тогда-то она и свела лексикон реальности к словам "сексуальный партнер" — или даже просто "партнер", как в игральных картах; затем, когда и партнеры не принесли ничего, кроме обломов, она заменила это словцо — все-таки почти брачное — на барачное "напарник", потом, с учетом своего не вполне законного использования мужей законных жен, она сменила и это определение, теперь уже на уныло-уголовное — "польник". После чего и набросилась на упомянутые сайты, где разгуливала иногда сутками, не выходя даже в магазин и отключив телефон.

— Ренаточка, — с боязливым почтением стучалась тогда в дверь соседка по площадке, дальняя родственница (свято верящая, что ее троюродная племянница света божьего не видя, гробит себя переводами классической французской литературы), — Ренаточка, всё работаешь, как проклятая, а жить-то когда будешь?

— Нажилась!! — яростно огрызалась Рената, продолжая жадно нащелкивать мышью.

Где-то в конце сентября — в день, с утра уже совсем не прекрасный, когда неожиданно позвонил черт знает какой по счету "экс" и навязал ей бессмысленное, изматывающее "выяснение отношений" — то есть попросту орал — и логики в его хамстве и кухонной склочности не было никакой, кроме логики животного эгоизма и безысходного одиночества, — Рената решительно изменила свою тактику на сайтах: какого черта стоять в гаремной очереди покорных идиоток, когда можно дать объявление самой — и самой, по-королевски, делать выбор!

ЖОРА ЖИРНЯГО

Было два часа дня. Она решительно села и — ничего, кстати, не присочиняя, — принялась быстро печатать: "Изящная брюнетка, с длинными, густыми и гладкими волосами, ярко-синими глазами, ростом 162 см, весом 54 кг, с большой грудью (DD) и тонкой тал...", — когда в дверь резко позвонили. Соседка-родственница неукоснительно следовала строгой договоренности только стучать, да и то тихонечко, дабы не нарушать Ренатиного священнодействия над переводами. Тогда кто бы это мог быть?

— Это из вашей форточки дым идет?! — взволнованно спросил высокий широкоплечий молодой человек.

— У меня, сударь, уже давно — ни дыма, ни, к сожалению, огня! — надменно парировала "нажившаяся" Рената, но он уже метнулся к противоположной двери.

Там, несмотря на его яростные звонки, не открывали. В это время Рената и сама отчетливо почувствовала запах горелого, которым тянуло от соседкиной двери...

Молодой человек тем временем сбежал на этаж ниже.

— Вышел на балкон, а наверху горит! — крикнул оттуда.

Рената перегнулась через перила:

— А пожарку вызвали? — крикнула она парню, но он не ответил, вовсю названивая в дверь квартиры, как раз под соседской.

— Что стряслось, Андрей?! — задохнулся искаженный ужасом женский голос.

— Пожар над вами! Можно на ваш балкон?

Услыхав эти слова, Рената, не успев ничего толком сообразить, кинулась в кухню, распахнула балконную дверь...

...Он как раз вскочил на перила и — раз! — словно взлетел на руках, затем — два! — перемахнул через перила вышерасположенного балкона и — три! — вышиб ногой дверное стекло... Из дыры густо повалил дым... с диким воем вылетела обезумевшая кошка... но парня уже не было видно — он нырнул в черные клубы дыма...

Всё произошло так стремительно, что Рената остолбенела, причем (осознание этого пришло несколькими минутами позже) — ее поразила не сама быстрота этого — на три счета — смертельного трюка под голым небом — но фантастическая ловкость парня — выверенная точность профессионала — словно ей, Ренате, показали практическую работу голливудского каскадера».

— 13 —

Смоквенский оракул

Плодотворно пишущий (в смысле: плодотворно оплачиваемый) литератор — всегда многоотрадный феномен для его родственников. А экстрамногоотрадный феномен — литератор выступающий. Такое явление равно благотворно и для семьи, и, скажем, для директоров клубов. И если первые довольствуются чувством эксклюзивности (благом, на наш взгляд, вполне отвлеченным), то вторые — успешно выбивают якобы под выступление автора какие-никакие «живые деньги» (на крючок в туалете для дам и на люстру в своем кабинете).

Иными словами, здраво сознавая, что даже регулярных полиуретановых щедрот ему не хватит на покрытие всё нарастающих нутряных потребностей (а даже этот — первый — «эксклюзивно-полиуретановый» рассказ отчаянно, отчаянно буксовал!), Жора начал *выступать*.

Как раз в эти самые дни он перебрался в Смокву-град. На брега неотвратимо ветшающего Петрославля Жора стал приезжать уже как почетный гость.

...Одно из первых его выступлений проходило на Петропольской стороне города, в Малахитовом Дворце (чьи владельцы обрели наконец свой ключ забвенья на кладбище Сен-Женевьев-де-Буа) — да, выступление Жоры проходило именно в этом дворце, который, на взгляд Автора, заслужил тем вечером лучшей участи. Афиша, как водится, сообщала:

ПРИЕХАЛ ЖРЕЦ

Вопросы к жрецу были все те же, классические: почему нет в продаже животного масла? и: не еврей ли вы? Жора, вовсю отдыхая от интеллигентности, болтал без умолку — разнузданно, разухабисто, барственно — демонстрируя диковинный речевой стиль, а именно: колченогий гибрид из пьяного в дугу базарного разносчика и крепостнического самодура (стиль, до которого Остап Ибрагим Мария-Берта Бендер-бей, сын лейтенанта Шмидта и, одновременно, турецкого подданного, кстати сказать, никогда бы не докатился: его уберег бы вкус).

Том Сплинтер (Автор здесь будет говорить о себе в третьем лице) — итак, Том пришел на то духоподъемное мероприятие с двумя своими приятелями — Сережкой Бергом, превосходным книжным графиком, — и Игорем Крафтом, известным фотохудожником. (Из них первый вскоре взрезал себе вены, причем удачно, — а второй еще помытарствовал: сначала блудным сыном направил стопы свои в Израиль, потом вкалывал на автомойке где-то за океаном, потом более-менее пристроился на брегах Сены, потом приехал в Петрославль, потом снова дал стрекача к аполлонически ориентированным галлам — и наконец насовсем вернулся в Петрославль, где, не выдержав энигматических смоквенских свойств, сначала долго и беспробудно пил, а затем, приведя в порядок запутанные свои дела, повесился. Неужели в Париже не нашлось бы веревки?..)

Но, на момент повествования, все они — Том, Сережка, Игорь — чувствовали себя китами, на которых держится румяная, на глазах обновляющаяся Земля....

...Когда — после косноязычных и вместе задушевных приветствий директора, а также подобострастно-заумной вязи местного поэта (это был пай-карапузик, с губками бантиком, неизменной папочкой под мышкой — и головой, неизменно втянутой в навсегда опасливые плечики), — когда после этой, призванной разогреть публику цирковой интродукции на сцену вывалился Жора (а вывалился он так, словно потерял всякую координацию), — Берг, быстро-быстро штрихуя в своем блокноте, сделал карандашную зарисовку. Вот она.

В клубах пыли (эх, администрация!) — в клубах пыли, выбитой из планшета сцены всеми ста пятьюдесятью (на глаз) Жориными килограммами, — стоит сам Жора, еще не вполне тогда обкатанный для эстрадно-кафешантанных выскоков-заскоков в народ, но уже, как (не про него) сказал Чехов, *горбатый от жира*. Его мешковатые зеленые брюки почему-то короче, чем следовало бы, а темно-вишневый пиджак, видимо, сшитый на заказ, даже образует значительный люфт вокруг сановных телес — то есть очень даже значительный люфт, и, скорей всего, призван «небрежно болтаться», намекая как бы на стройность скрытых форм — или уж образовывать королевски ниспадающие складки. Когда разглядываешь этот рисунок, на память всякий раз приходит — написанная, конечно, в другой связи, — фраза Свифта: «She wears her clothes as if they were thrown on her with a pitchfork» («Она носит одежды так, словно они набросаны на нее вилами»), — иначе говоря, она носит одежды в художественном беспорядке — именно этого, видимо, добивался и Жора.

Затем идет серия комиксов. Она называется «Оракульствующий». На каждой картинке — пузырем — застыл Жора, а над головой Жоры — завис другой пузырь, облачно-многомыльный — для высечения на нем проповедей.

Итак, на первом пузыре значится:

«Друзья, вы развели в городе страшную грязь. Почему бы вам не вымыть хотя бы свои окна?»

На втором:

«Я приехал вчера из златоглавой Смоквы и, признаться, не узнал родной город».

На третьем:

«Нехорошо!.. Знаете же сами, что нехорошо!»

На четвертом:

«Мне кажется, в Петрославле что-то изменилось... Раньше такой грязи не было».

На пятом:

«Нехорошо!..»

На шестом:

«А ведь кое-что зависит и от вас!»

На седьмом:

«Грядет Первомай».

На восьмом:

«Если каждый вымоет свое окно, в городе станет чище, светлей».

На девятом:

«Поднимите руки, кто уже вымыл окна».

На десятом:

«А кто еще нет?»

На одиннадцатом:

«Воздержавшиеся есть?» *(Шутит.)*

— Откелева в наши страны? — внятно спросил, словно бы ни к кому не обращаясь, фотограф (по-старинному — светописец) Крафт и сделал эффектную паузу. — Которого ветру клясть?!

— С тобою в метро не встану... — широко открывая рот, подхватил Том.

— Тише вы, сволочи!! — бросились на амбразуру пенсионерки. — Понаехали тут!..

— ...Твоя — прохиндейская масть!.. — вдохновенно завершил Том.

— Барин! — страстно замычал Берг. — Из Парижу! Упоительно.

— Сейчас тех, кто окон не вымыл, — на конюшне сечь будет... — вслух догадался Том.

— И воздержавшихся — тоже, — пессимистично откорректировал Берг.

— Заткнитесь, сволочьё!! — взорвалось несколько неуступчивых глоток, превосходно луженных в баталиях на бытовой почве. — Товарищи, тут есть дружинники?!!

— А ты-то сам вымыл? — невозмутимо обратился к рисовальщику Том.

— Я — да, — с гордостью заржал Берг. — А ты?

— И я — да, — сказал Том. — Всю дюжину венецианских витражей...

— Тише вы!... — огрела его палкой бородавчатая старушка. — Мешаете Писателя слушать!

— А ты, — перегнувшись через ноги Тома, обратился Берг к хищно замершему у фотоаппарата Крафту, — ты-то, братец, свои окна вымыл?

— Иди ты, знаешь... — пробормотал светописец.

— Куда идти и с кем торжествовать? — громким басом поинтересовался рисовальщик.

— Ш-ш-ш-ш-ш-ш... — зашипели старушки.

— Выдь на Волгу, чей стон... — в нос, чтоб не потревожить камеру, — пробубнил Крафт. Задержал дыхание... сладострастно щелкнул... Перевел кадр.

— У него комната без окна, — напомнил Том иллюстратору. — Маневренный фонд.

— Да тише вы!!. — синхронно брызнули слюной две старушки. — Писатель же говорит!..

— Вот за это и выпьем, — мгновенно нашелся Берг.

И было не ясно, за что именно он призывает выпить: получалось за то, что фотохудожник живет в комнате без окна.

— А уши ты своим чадам перед праздниками вымыл? — строго взглянул на него Крафт.

— От первого брака — да... — задумчиво вздохнул Берг. — А от остальных, включая морганатические... увы. А ты?

— ...Мой дедушка был граф, — между тем отчитывался пред народом Жора. — А далекий пращур получил дворянство за подлость. То есть я — тоже граф.

Такой странный для логики крендель остался, что называется, без внимания публики.

Только трое отщепенцев (которые, как написали бы и через сотни лет в смоквенской газете, *еще есть в нашей стране*) словно бы синхронно подавились.

— В смысле — тоже подлец? — вслух уточнил Том.

— Эх и ни хрена себе!.. — ввернул Крафт. — Это ж как в анекдоте... Анекдот знаете?

— Отстань, — поморщился Берг.

— Ну? — сказал Том.

— Это про честного. Министр просит народ выбрать его депутатом. Народ говорит: а зачем тебе. А тот: как зачем — чтобы взятки брать. А народ: ты ж их и так гребешь — как министр. А министр: так то ж я только как министр мздоимствую, а депутатом я буду еще дополнительно хапать — как депутат. Народ говорит: вааааау!! ёоооокарный бабай! вот такие честные, ё-моё, открытые, самокритичные депутаты нам как раз и нужны!.. И выбрал.

Берг заржал во все горло. Том ткнул его в бок, но было поздно.

— Товарищ администратор!!! — засипели-закашляли старушки. — Выведите этого с бородой!! Да, вот этого, этого!! Всю эту банду! Они Писателя слушать не дают!.. Это же Писатель тут говорит!..

Блаженная память... «Говорит Писатель!..» (Ну да: «Говорит Смоква! Работают все радиостанции...») Как может, казалось, невинная реплика эксгумировать (и даже затем реанимировать) эпизод такой далекой эпохи? Намертво сплющенной грузом позднейших и, кстати, не таких уж «культурных», пластов?

—14—

Светоносные,
или Волшебная мельница

И вот они опять, знакомые места,
Где жизнь отцов моих, бесплодна и пуста,
Текла среди пиров, бессмысленного чванства,
Разврата грязного и мелкого тиранства;

ЖОРА ЖИРНЯГО

Где рой подавленных и трепетных рабов
Завидовал житью последних барских псов,
Где было суждено мне божий свет увидеть,
Где научился я терпеть и ненавидеть...

(Н. Н.)

Итак, пригревает. В памяти, как на меже,
прежде доброго злака маячит плевел.

(И. Б.)

Лето на средней Волге.

Остров.

Ржавая баржа, переименованная в турбазу «Восток» («Восход», «Спутник», «Заря», «Искра», «Рассвет»). Цвет ржави сохранен в памяти как охряный (пьяный, пряный). И одновременно он сохранен как original color of excrements, т. е. вонючий. Смотря по настроению.

На столбах — громкоговорители.

У массовиков-затейников они слегка иные: матюгальники.

Столовка. Неизменный мясопуст (пост). Хотя ложки-вилки — не исключено, что специально — хранят бессменный слой жира. Возможно, собачьего (ну да: «собак развели... самим жрать нечего...»). Не исключено, жир тот — для гуманного облегчения глотательного акта. Алюминиевые ручки закручены в штопор.

Прием пищи — в две смены. Штамп, номер и мат — на любом предмете инвентаря.

Хлорка.

Кал.

Моча.

Норма.

Гвоздь. Серое вафельное полотенце. Оттянув эту мокрую тряпку вниз, отдыхающие яростно дырявят ее вилками — очищают, стало быть, свои «столовые приборы» тем способом, каким были обучены в казармах-бараках.

Томасу восемнадцать лет.

...Какого черта память намертво впитала это зловоние? Почему именно это? Именно намертво? Вот, например, Бунин...

Нет, Бунин тоже честно содрогался на пороге своего помешательства и даже утверждал, что те, кто увидит однажды «смоквенское мракобесие», со всем вытекающим антуражем, те уже ни с англичанами, ни с французами, ни с тибетскими монахами сосуществовать не смогут. Почему? Да потому что эта человечья мерзость, однажды распознанная, будет темнеть и смердеть сквозь любые благочинные, благоглупые, «политкорректные» оболочки.

Тем не менее... Бунин в своих дневниках ежедневно указывает направление ветра. Во время вахлацкого беснования плебса (меж двумя «революциями») он, Бунин, описывает форму, цвет, вид, характер движения облаков... Каждый день! Такое меня в начальной школе заставляли делать, а я, дурак, списывал у девчонок.

Бунин обходит свою деревню, затем пишет: пятна света спокойно (или не спокойно) лежат на земле... цвет воздуха утром — таков, цвет воздуха вечером — таков, даже состояния горизонтов описывает, будто они, горизонты то есть, входят в его личное хозяйство... утварью личной являются... Нет, не могу удержаться:

«8 августа 1917 г. <...> Люблю август — роскошь всего, обилие, главное — огороды, зелень, картошка, высокие конопли, подсолнухи. На мужицких гумнах молотьба, новая солома возле тока, красный платок на бабе...»

«14 августа. <...> Облака на восточном горизонте изумительны. Гряды, горы бледно, дымчато-лиловатые (сквозь них — бледность белизны внутренней) — краски невиданной у нас нежности, южности».

«17 августа. <...> Ночь лунная. Гуляли за садом. Шел по аллее один — соломенный шалаш и сад, пронизанный лунным светом, — тропики. Лунный свет очень меняет сад. Какое разнообразие кружевной листвы, ветвей — точно много-много пород деревьев».

«21 августа. <...> открыта дверь в амбар, там девки метут мучной пол — осень! <...> В 10 $\frac{1}{2}$ вышел гулять по двору. На северо-востоке желтый раздавленный бриллиант. Юпитер?»

МАРИНА ПАЛЕЙ

«7 октября. <...> Листва точно холодным мылом потерта...»

Нет. Если выписать отдельно, впечатление умирает. Сила тех записей именно в том, что они делаются *регулярно*. Перемежаясь с описанием состояний того, кто записывает, а стоит он, как было сказано, нá волос от безумия.

У Тома, в сравнении с Буниным, уже тогда, на волжской турбазе, в те его восемнадцать лет, наметился гораздо больший крен в сторону, скажем так, антропологии и этнографии. И вот что он, этот стихийный антропо-этнограф вынужден был (без какой бы то ни было отрады) записывать в «Дневнике наблюдений природы»:

«17 июля 1973. Женатые шибздики идут у баб нарасхват, круглые сутки, без выходных <...>».

«18 июля 1973. Соития эти не корыстные, а именно задушевные, нашаромыжку. Не дадим умереть друг другу. Отцелюбие римлянки».

«19 июля 1973. Рим эпохи упадка. Безудержный, зависящий не от сезона, а лишь от срока профсоюзной путевки, гон. Совокупления вполне антисанитарные, всякого сорту, то — кроличьи быстрые, беспорядочные, то — по-солдатски неистощимые, загребущие, нахрапистые, с заведомой готовностью к чему угодно, в том числе к аборту; сегодня есть, завтра нет, хапай».

«20 июля 1973. Яркая, напряженная, сверхценная половая жизнь соотечественников. Ложе для соитий — ристалище роковой схватки с государством. Рабы бросают свой вызов тиранам. Они вызывают государство на бой — и проигрывают. И снова бьются — зная, что дети подхватят их знамя».

«21 июля 1973. Итак: ристалище, последний оплот личной свободы, инсургентства, свободомыслия. Все это помножено на жесточайшую клептоманию («Ой, девки, у меня пудреницу скоммуниздили!») — и жесточайший дефицит радости.

В перерывах между, скажем так, корректировками демографического перекоса, дядечки, засосав «Жигулевского», нацепив бюстгальтеры половых партнерш и намазав губы помидорной помадой, с вялым матерком тупо мучают бедный мяч. Время от времени кто-нибудь тут же, на поле обильно мочится (пиво!); остальные приязненно похохатывают, радушно комментируют, обнаруживая немалые познания в физиологии гоминидов и радостно призывая активизировать все процессы телесного метаболизма. Да, хурулдан им. Степана Разина явно не был задуман колыбелью футбола...»

«22 июля 1973. Кровососущие размером с непарнокопытных. Облезлые лопатки синюшно-пупырчатых отроков: бесконечное ужение таких же (судя по содержимому банок) худых и безродных рыбешек...»

...Без малого через тридцать лет я вдруг наступаю на мину.

Хотя какое там к черту «вдруг». В том пространстве, где мне, at this stage of my life, приходится передвигаться, — куда ни ступи, везде мины. Всё сущее вокруг скрывает в себе мины, пространство перефаршировано минами.

С годами, ясное дело, мин становится еще гуще.

Взрывов — чаще.

Минное поле памяти.

Минное поле памяти в качестве ПМЖ.

Шарахнет, вывернет кишки с корнем, разнесет в клочья, и вот лежит — то, что от человека осталось, — в полдневный жар, в долине, etc. А потом, кое-как собрав себя по лоскуткам и ошметкам, «встаешь и идешь». Сон, сон.

И снова — казнь.

И снова.

И снова.

Такое вот Поле чудес.

Alice in Wonderland.

Встань и иди.

...Шаг.

Взрыв.

...И я иду тебе навстречу! и я несу тебе цветы... кхххшш... стала! Ко-ролевой! Красоты! С тобою свя-зан! На-ве-ки я! ты стала хкшшшш... любовь моя!... Гжжжжжжж... Буря смешала! Зем-лю!

С небом! Серое небо! С бе-лым! снегом!!! Шел я...
хшшхххпрррхх... Товарищи отдыхающие! Каппо-
та сегодня не будет, вследствие аварии водопро-
вода и, кажется, точно еще не знаем, обнару-
жения в питьевой воде холерного вибриона.
Кхххх... Чтобы тебяааа отысссскать на земле!.. Куда вы претесь, женщина?! Да не вы!! не вы!! А вы,
вы, в желтый цветочек!! Вы что, буй перед своим
носом не видите?! Кххх... Мне! и горька и абид-
на, но! не панимааааеш, видна! тыыыыы! этай гру-
сти маей! кхххх... дррррррр... кхххххххх... Не кууукла
яааа!!!

В столовке, возле раздачи, турбазовский мас-
совик вешает объявление:

ПРИЕЗЖАЮТ ПИСАТЕЛИ

Нет, вовсе не отдыхать! Разве им до отдыха?
Они приезжают нести в массы... что?.. что-то такое... ну, в общем, дефицит... Дамы мгновенно
охладевают к своим утешителям. Теперь они чис-
ты и строги, как отроковицы перед первым при-
частием.

Назавтра, с половины шестого утра, подобно
Наташе Ростовой перед первым балом, они особенно, по-бальному, надраивают свои шеи и уши:
на встречу с Прекрасным пойти с обычно вымы-
той шеей, конечно, немыслимо; уши должны обес-
печить полную звукопроводимость: не дай Бог

что-нибудь пропустить. Железные бигуди, резиновые бигуди, импортные термобигуди, плойки для локонов, лак для волос, лак для ногтей, тени, блестки, пудра импортная польская, болгарская помада на троих.

Покинутые кавалеры изображают мрачность («солидность»): они готовятся к *откровенному мужскому разговору* о сложностях международного положения. Лишь один кавалер, не востребованный даже в ситуации блокадно-лютого бабьего глада, глистообразный, с жабьей незагорающей кожей, с книжечкой Эдуарда Асадова, прижатой к впалой грудной клетке, путается у всех под ногами, то и дело вскрикивая:

— Ах! Это так волнительно... так волнительно... столько актуальных вопросов... ах, накопилось столько вопросов...

Уж полдень близится, Прекрасного всё нет. Дамы отказываются от приема пищи в назначенную им смену. Они боятся объесть с губ дефицитную болгарскую помаду — и в этой трогательной экономии похожи на Акакия Акакиевича, решившего, с целью сбережения подметок, ступать только на носочки. Держа ладонь козырьком, дамы застыли на берегу, без отдыху шныряя загадочными женскими зенками вверх по матушке по Волге. Вооон там!.. Где, где? Да там, вооон!.. Видишь? Да то не они! Они же с оркестром будут! Услышишь сперва оркестр!..

ЖОРА ЖИРНЯГО

День тянется бесконечно, но и у бесконечности, как выясняется, есть конец. Словно миражи пьяного куафера, оседают, истаяв, тучные стога дамских начесов... Кровососущие входят в бешеный вампирский раж... Покинутые мужья чужих жен судорожно пользуются временно ослабшим контролем... Кукушки то и дело поставляют противоречивые сведения....

И вот, когда емкости уже опорожнены и разбиты, как и отдельные части отдельных неосмотрительных физиономий, когда прибрежные пенелопы, увязшие пятивершковыми каблуками в песке, увядшие и озлобленные, со скуки начинают грызть невкусных своих мужей (ибо не кто иной, как мужья виноваты в том, что хочется им кушать — женам, прием пищи пропустившим — поскольку красота требует и требует жертв — но от кого? — и, опять же, именно мужья — свои и чужие — виноваты в том, что комары — «как проклятые империалисты! как сионисты!» — пьют их женскую, страстную, зря откипевшую, пузырями изошедшую кровь) — в это самое время — видите!!! не обманули!!! — к причалу медленно подходит пароход.

Он напоминает тот, что распространял облигации госзайма, — тот, на котором Остап, «дерзко опередив время», изобразил довольно концептуального Сеятеля.

Капитан, белоснежный и крупный, как страусиное яйцо, неизвестно как оказавшееся меж куриных, отвлекает на себя огонь женского внимания лишь мимолетно.

Оркестр.

Приготовились! И... раз... два... три:

> Зо-ри мос-ковские!..
> Зве-нят-поют часы крем-левские!!..
> С доб-рым ут-ром, зем-ли и моря!
> Мос-ква-ааа!.. Моя-ааа!!!..

Писатели *(дальний план)*.

Администраторша, представляющая собой рыхлую, но зато устрашающе многообъемную копну с массивным голубым кокошником на самой своей верхотуре, встречает гостей хлебом-солью. Сантехник, вооруженный квачом ошуйцу и вантузом одесную, злорадно оттесняет самых порывистых читателей; ему помогают две поварихи и спасатель-на-водах. Демаркационная полоса составляет дюжины три шагов.

— Столько вопросов накопилось!.. столько актуальных вопросов!.. — блеет несгибаемый асадовский фанат, нимало не взирая на пинки и зуботычины.

Настает черед сказать, что на острове — помимо баржи, столовки и отхожих мест (это ямы, целомудренно, хотя бы и с одной стороны, занавешенные куском материи с привязанной понизу — для весу — суковатой палкой, а с остальных сторон имеющие естественные завесы из дикорастущих веток и туч кровососущих насекомых) — на острове существует еще один объект, назначения которого никто из отдыхающих не знает.

Это мельница.

Точней, объект просто называется так — «Мельница»: а на самом же деле это декоративный, полированный-лакированный, домик-пряник с мельничными крыльями во лбу, напоминающими сильно увеличенный пропеллер из кружка школьного авиамоделирования. Домик, похожий более на кондитерское изделие «Кренделек медовый», построен на потребу явно не аборигенов и призван имитировать «добрые старые времена». Он представлен боярским крыльцом (см. «Сказка про рыбака и золотую рыбку») — напоминающим почему-то лобное место. Имеются также бутафорские ставенки, резные (а как же) наличники, голубые рюшечки в оконцах, сказочно-преувеличенные дверные петли, опереточно-балаганные задвижки в виде пик и топоров «времен опричны».

На протяжении всего сезона «объект» стоит закрытый — резко выделяясь достоинствами сказочного зодчества и такой же санитарии — на фоне ржавой баржи, барачных хозпостроек, etc.

И вот... Писатели (панамы, животы, сандалии) — и еще *какие-то другие люди*, спеленутые, несмотря на египетскую жару, туго-туго, как мумии фараоновых кошек, — спеленутые чем-то невидимым, но таким, от чего они тем не менее не могут освободиться (как труп не может освободиться от своего савана), — да: еще *какие-то другие люди*, дополнительно закованные в темно-синие двубортные габардиновые костюмы (может быть, тоже Писатели? только в других жанрах?), — итак: Писатели и еще *какие-то другие люди*, сопровождаемые администраторшей, прямо с причала, решительно направляются к указанному объекту.

Дальнейшие события разворачиваются стремительно, как на линии фронта.

Двери «Мельницы» (всё тот же дальний план) открываются и, поглотив Писателей с сопровождающими их лицами, закрываются.

Это происходит, прямо скажем, не так, как в метро, то есть без какого бы то ни было предупреждения.

Военные реляции, доносимые до слуха народа вёрткими мелкорёберными подростками (снайперски камуфлирующими себя ветвями близких к «объекту» дерев), указывают, скорее, на сугубо дружеский, нежели официальный характер мероприятия. Из донесений следует: все три официантки (до того посудомойки на турбазе) обряжены в короткие юбчонки... у всех аж трусы видать... и даже волосья под трусами... Ну, ври! А вот и так! Кроме того: *подавальщицы* (ох, фрейдистские подкладочки! — заметим в скобках) — все как одна! — обуты-принаряжены в такие алые остроносые сапожки на каблучках... Они «казачки» называются! Ну, в «казачка́х» они, значит... Из рапортов следует также, что кокошники, вследствие уже полуразложившихся начесов, поминутно сваливаются с голов подавальщиц и что (это более всего поражает разведчиков-отроковиц) на официантках надеты ужасно чистые, «ангельские» переднички (где надыбали?), с крылышками, рюшами, воланчиками, оборками... Значит, есть такие и в нашей стране?

Затем идет описание блюд и напитков. Следует сразу же сделать скидку на то, что подаваемые блюда не известны разведчикам обоего пола — ни дегустаторски, ни визуально, ни понаслышке. Поэтому названия яств попадают в уши теснящихся в отдалении читателей в том виде, как если бы они были бы разбиты на группы в меню какой-нибудь забегаловки, именуемой «Поплавок»: салат — мясо — рыба — спиртное. Итак. Мясо... мясо... еще мясо... рыба... мясо... рыба... кажется, водка... пиво... винцо какое-то... салат какой-то... салат горкой... салат башенкой... салат домиком... салат озерцом... Дурак ты! это заливное! шашлыки! соус какой-то... ой, *сосиськи с пере*! (здесь и далее сохраняем фонетику оригинала), суп какой-то... это... кажется, икра... черная или красная? красная... черная... а точно не баклажановая? Да

143

нет... ой, он к ней под юбку подлез... кокошник в борщ... кокошник в борщ хряпнулся! свекла ему на рубашку... хэх!! во дает! во дает! жрет, пьет, смолит и ее за сиськи хапает!.. где, покажи? да вон, вон... а этот уж галстук снял... колбаса копченая... А это что? Ананас. Я точно знаю, у нас в книжке картинка есть. Мой-то давно и рубашку снял... А у моего шашлык на ширинку упал... дурак, это он специально... она ему помогает... а он ей... а эти уже... да там не кладовка, а бытовка... а хоть и кладовка... торт шоколадный... ой, виноград! и винище! дурак, это же шанпанское... не пробовал, что ли, арбуза с шанпанским? а ты, что ли, пробовал?! а — я да! не ври! в этом году и арбузов еще не было! а я в прошлом! а мне папка привезет арбуз! жди! ой, смотри, смотри! а ты нет! я тоже хочу... А ты думаешь, они все Писатели? Спорим, все?! Спорим, нет? А кто Писатели? Тот, тот и тот с бородами, большие. А те? А те ихние слуги. Дурак ты, это Писатели у них слуги, мне папка говорил...

Что тут можно добавить? А ничего. Уехали Писатели с гораздо меньшей помпой, чем прибыли, — точней сказать, испарились — в лучших традициях брачных и финансовых аферистов. А именно: на вторую ночь после маловысокодуховных оргиастических бдений, они (по словам несовершеннолетних лазутчиков) были поштучно вынесены из «Мельницы» и погружены на корабль — точнее, в спешке складированы, на его нижней палубе. Словно пиратское судно, не подымая парусов и не включая бортовых огней, водное транспортное средство втихаря двинулось отвозить их... куда?

С тех пор при словах: «Тише! Писатель говорит! Дайте послушать!» — у Тома неизменно всплывает перед глазами сложная, полихроматическая лужа внутрижелудочной жидкости, иначе говоря, блевоты, оставленная коллективом литераторов на прибрежном волжском песке — в качестве вещдока своего физического, а не только духовного присутствия.

— 15 —

«Моисей, выведи нас из рабства!..»

Надо сказать, Том с удовольствием послушал бы, например, Сэлинджера. Но неувязка в том, что именно Сэлинджер-то по эстрадам не канканирует.

Так что вернемся, хотя и не тянет, на выступление Жоры Жирняго: wens tevreden met wat je hebt — «будь доволен тем, что имеешь» — присловье мирных нидерландских кальвинистов (что в отечественном прокате звучало бы как *других писателей у меня для вас нет*).

У Жоры, поначалу (т. е. покуда он еще не был до слабоумия заласкан хищными щупальцами своей вероломной страны), наблюдалась некрасивая, зато человеческая слабость. Оснащенный этой слабостью, Жора напоминал знаменитого конферансье из образцовского «Необыкновенного концерта», который регулярно опускал тяжелые веки — и вальяжно, хотя и несколько обеспокоенно, обращался в зал: «Я не слишком интеллигентен для вас?» — и затем, после паузы, еще более вальяжно: — «Не слишком?..»

Жора, и его несложно понять, никак не мог найти общий знаменатель между собой и залом, что было ясно априори — тем более сам зал, включавший благодушных старушек и ехидных юнцов, был крайне далек от однородности. Поэтому Жора не то чтобы боялся быть *непонятным* народу (ибо непонятности, в конце концов, можно прояснить) — скорее, он боялся быть ему *неприятным, несвойским, немилым* — всеми своими инакостями. Ведь есть инакости, за которые прилично платят, притом довольно прилично, а есть такие, за которые мало того что не платят, но еще и прибить вполне даже запросто могут. Вот Жора и опасался именно таких, недоходных для кармана инакостей: обильных напластований кабинетной пыли, относительного (т. е. относительно люмпенов) барства, сомнительного (но безусловного на фоне охлократов и вахлаков) — даже карикатурного — графства, светско-советской сановности — и той милейшей «интеллигентности», которая славнехонько и подло (т. е. заподлицо) уживается с любым людоедским режимом. Вот он и старался всё это, как принято говорить в его социальной страте, «смикшировать» — с известными приемами ярмарочного (банно-прачечного) популизма — то есть, как писала совершившая удачный побег из мира сего поэтесса, стать «свойственнее и съедобнее».

Получалось вульгарно.

— Если бы он был женского полу, — сказал Крафт (смутьянскую троицу так и не вывели), я бы назвал фотографию: «Пьяная педикюрша».

— Назови «Пьяный педикюрщик», — сказал Том. — В чем затыка?

— Тише!! — прохрипели хором старушки.

— Гля, — Берг протянул Тому и Крафту новую серию комиксов.

Пузырь над аудиторией:

«Что вы думаете про писателя Жучкина?»

Пузырь над Жорой:

«Он пишет *не свою* прозу. Он пишет про лошадей, а ему надо бы про людей».

Пузырь над аудиторией:

«А про Кладовского?»

Пузырь над Жорой:

«Он пишет про горы, а ему надо бы про налоговые сборы. И про чиновничьи поборы! Ему бы следовало использовать свой уникальный опыт».

Пузырь над аудиторией:

«А про Мелкомьянова?»

Пузырь над Жорой:.

«Он пишет о российской конституции, а ему надо бы о нидерландской проституции».

Последний рисунок данной серии: сидят Крафт, Берг и Том, воздев к Жоре худые, иссохшие руки. Подпись:

«Укажи, Моисей, наш истинный путь. Выведи из тьмы египетской!»

— Какой он у тебя изрядный!.. — сказал Крафт.

— Какой есть. Русский писатель и должен быть плотью обилен, бородою космат. Глаголить должен ржаво, со скрежетом, словно бы в муке мучительной, однако же зычно. Других на Руси не воспринимают.

— Это верно. А вот я жил два года в Германии... — оживился Крафт.

— Как это тебя угораздило?

— Да по контракту... Так там считается, что писатель должен быть как раз наоборот: маленький... тихий такой, незаметный...

— Ну, то ж немцы: битте шён, данке шён... Здесь маленького-то вмиг подомнут... Вот такие как раз, как этот Жиртрест Совписович, и растопчут...

— А Брячислав Славословников? — не унималась аудитория. — Что вы можете сказать про Брячислава Славословникова?

— А разве он имеет отношение к литературе? — откликнулся Жора.

— Ну как же, — строго уточнили из зала, — он ведь лауреат Большой Позолоченной Пепельницы...

— Ну да... — раздумчиво сказал Жора. — Знаете, вот ежели бы нос... как его, этого самого... да приставить ко лбу этого, ну, как его там...

Том хихикнул. Нос прямо на лбу — ну чем не фрейдистское детство человечества?

— Брячислав Славословников, — продолжал Жора, — похож на Веру Панову, которая хочет быть Флобером, а получается — Максим Горький...

Зал затих... Как же так?! А Большая Позолоченная Пепельница?!

— Максима Горького предпочитаю читать в оригинале, — отрубил Жора.

— О! Врезал правду-матку ширнармассам! Прямо промеж ихних глаз! — откомментировал Том.

— И потом: до какого кощунства, до какого дурновкусья надо докатиться, — почти натурально распалился Жора, — чтобы горьковский язык использовать для картин беспросветности, убожества, уродства *нашего с вами* существования!.. Особенно — *нашего с вами* существования в глубинке!..

На словах «горьковский язык» сидящая рядом с Томом старушка *из бывших* хищно нацелилась в Жору слуховым аппаратом.

— Кроме того, — продолжал Жора, — этот литератор напоминает мне пятиклассника, коему только-только открылись чудеса метафоры. Прочтешь, буквально, две строчки: как, как, как, как, как... Флюс, как распаренная женская грудь в бане, а распаренная женская грудь в бане, как флюс. Прочтешь две других: как, как, как, как, как... В глазах рябит, думаешь только об одном — сейчас опять на гвоздь напорешься: как... Забавы уездного литобъединения... Невроз, точнее нервный тик прыщавого подростка: кому-то что-то доказать... Период пубертации, что тут сделаешь? Телешоу средних школьников: «какнуть», хоть умри, *больше всех...* Брррр. Или так: турнирчик армейских салажат: кто *дальше всех* направит свою уриновую струйку. *(Одобрительный смех в зале.)*

— Насчёт «как» — не вполне правда! — выкрикнули из публики. — У Брячислава Славословникова есть еще «словно» и «будто»!

— Все персонажи, — продолжал Жора, — безупречный силикон.

В зале не расслышали.

— Си-ли-кон, — отчетливо повторил Жора. — Химически беспримесный. Мой папа в таких случаях говаривал: передовой конвейер советских пластмасс... Ни одному из славословниковских персонажей не сочувствуешь. От текста в целом не испытываешь абсолютно никаких потрясений. Да что там — «потрясений»! Никаких движений души, никаких чувств. Монотоннейшая преснятина с претензией на изобилие экзотических пряностей. Склей любой персонаж коньки — хоть в середине, хоть в конце, — не заметишь. Среди этих букв, расчисленных электронной машиной, нет ни одного — ни единого — эритроцита живой крови. Какие уж там «raw nerves»![1] Да и откуда им взяться? Так: мегаэкстримный аттракциончик для питекантропов: Грамотное Письмо.

— Лев Николаич, к концу, как-то особенно опростился, очеловечился... — отвесил щедрый на похвалы Том. — «Не может молчать»: критикует преемничка новой, значительно более продвинутой модификации.

— Точно! — реагировал Крафт. И не зная, куда бы еще выпустить заряд невостребованного инсургентства, обратился напрямую к Жоре: — Мне эти бесконечные «как, как, как, как, как, как» у этого силиконщика — знаете, что напоминают?

— Что?.. — Жора искренне обрадовался контакту с нонконформистской частью аудитории.

— А жена годовалую дочку на горшок так высаживает...

— Так и я про то же!.. — закивал Жора.

— Есть смычка с массами!.. — констатировал Крафт.

— И, кстати-кстати... Вот вы упомянули горшок... Силикон Брячислава Славословникова —

---

[1] «Голые нервы». Из довольно частой фразы Бродского: «У меня нет принципов. У меня — только голые нервы». Считается, что фразу «голые нервы» он заимствовал у Акутагавы. (*Прим. Тома Сплинтера.*)

151

отличное средство для похудания... Ну *(Жора смутился)*, не в очень запущенных случаях...

— Как это понимать? — раздался из публики явно заинтересованный женский голос.

— Поясню, — сказал Жора. — Если этот силикон закачивать не в черепа, как того хотел бы Брячислав, а в желудки — он там занял бы объем, предназначенный для настоящей, живой пищи. И обманул бы мозговой центр голода. То есть: силикон отбивает аппетит, никак не усваивается — и выходит в абсолютно неповрежденном состоянии... И организму тоже — хоть бы что. К обоюдному удовольствию. А силикон — просто хорошенько помыть... Предназначен к многоразовому использованию.

— Как же так? — обиженно донеслось из зала. — А Большая Позолоченная Пепельница? За «так» же ведь не дадут...

— Это верно... — задумчиво сказал Жора. — За «так» — совершенно точно не дадут... Особенно — Пепельницу...

— Я хотел вас, Георгий Елисеевич, вот о чем спросить. Можно? — Из публики поднялся мужчина лет тридцати, высокий, с такой внешностью, про которую говорят — «смахивает на Раскольникова». — Я человек религиозный, верующий... так мне кажется... И вот я хочу спросить...

В зале зашептались: «Раскольников... Вылитый Георгий Тараторкин...»

— Спрашивайте! — разрешил Жора.

— Вот Славословников в одном интервью...

— У него-то этого оракульского тренденья — вклинил Крафт, — уж всяко больше, чем откровений у библейских пророков...

— Так вот: Славословников в последнем интервью говорит, что Писатель, дескать, беседует с Мирозданием, а читатель — при этом священнодействии — только присутствует...

— Ой, боже ж ты мой!... — заржал Крафт. — Вааау!!.

— Ну, это, конечно, ежели шею допрежь того вымыл... и ему дальше прихожей позволили... в лапотках-то... — уточнил чей-то ехидный голос.

— Говорит еще, — раздался взволнованный голос, — что в Смокве необходимо совершить полный и бесповоротный ребренд!.. Только в этом смоквенское спасение! Радикальный, категорический апгрейдинг!.. Причем — всенепременно насильственный. Существует, говорит, иерархия, а читатели в ней, в иерархии то есть, — беспробудные дураки. Только насилие им и поможет!

— Это верно. Ибо кто же захочет — добровольно — силикон-то в свою голову закачивать? — сказал Жора.

— Сегодня, — не мог остановиться взволнованный, — делать ребренд-апгрейдинг еще рано — а завтра, говорит, будет поздно!..

— Господи Иисусе, — приужахнулся Том, — а мыло-то по талонам давать будут?! — Спички, соль, керосин?!

— Мосты и телеграфы лучше брать ночью, — уточнил Крафт. — Тем более — банки... Да здравствуют вожди!!

— Тише, господа! — примирительно сказал Жора. — Дайте читателю задать вопрос.

— И вот... чтобы беседовать с Мирозданием... — продолжил Раскольников. — Чтобы беседовать с Мирозданием, — действительно ли необходимо идти по головам? Брать напрокат девушек и грузинские розы?

— Зачем? — на словах про «девушек напрокат» — задремавший было Берг встряхнул головой.

— Сказано же было: для бесед с Мирозданием, — пояснил Том.

— Нет! У меня друг в съемочной группе, он говорит — вот для чего: чтобы изображать «счастливую любовь» Писателя, — уточнил Раскольников. — Для пиарных роликов. Притом в обязательном порядке — на Каменном мосту, на фоне Кремля. Так вот, — снова обратился он к Жоре, — чтобы беседовать с Мирозданием — так ли всенепременно следует переть напролом, как советский танк Т-34?

— Бери повыше: танк Т-90! — всадил тот же строптивый голос.

— Я человек религиозный, для меня это не праздный вопрос... — заключил Раскольников.

— Всё, что не запрещено, то разрешено! — захохотал Крафт.

ЖОРА ЖИРНЯГО

— Bob Southey!

— неожиданно забормотал Жора. —

You're a poet — Poet-laureate,
And representative of all the race,
Although 't is true that you turn'd out a Tory at
Last, — yours has lately been a common case;
And now, my Epic Renegade! what are ye at?[1]

Тут загалдела и консервативная часть аудитории: все понимали, что время выступления подходит к концу, а тьма-тьмущая актуальных вопросов по-прежнему нуждается в самом неотложном своем разрешении.

— Друзья! — Жора резко выбросил в массы свою патрицианскую длань. — Давайте упорядочим этот процесс. Я буду отвечать на записки.

Чуть больше минуты аудитория целенаправленно возилась, переговаривалась и рылась, разыскивая очки, ручки, клочки бумаги — а затем начала втискивать в жалкие рамки бумажных клочков безграничную суть метафизических и экзистенциальных вопросов.

Ручеек записок потёк.

---

[1] Боб Саути! Ты — поэт, лауреат
И представитель бардов, — превосходно!
Ты ныне, как отменный тори, аттестован:
Это модно и доходно.
Ну как живешь, почтенный ренегат?

(«Посвящение». Вступление к поэме
Дж. Байрона «Дон Жуан».
Перевод Татьяны Гнедич.)

Жора развернул первую, взглянул, перечитал, потом как-то задумчиво скомкал и даже засунул уже в карман... но вдруг вытащил — и мелко, хотя и без демонстративной ажитации, изорвал в мельчайшие клочки. (Их, не желая поганить свои одежды, он ссыпал на сзади стоящий столик...) Вторую записку, не будучи дальнозорким, но отдалив на расстояние вытянутой руки, Жора схватил глазами молниеносно. Лицо его начало приобретать цвет зрелой свеклы... Он скомкал записку и зажал ее в кулаке... Та же участь постигла и третью записку... Четвертую записку Жора прочел с выражением, которое можно было бы назвать натужно-стоическим.

— Друзья, — поджав пухлые губы, сказал он раздельно, — на записки антисемитского и сексуального содержания, а также на записки с использованием ненормативной лексики я отвечать не буду.

— А других у народа нет, — покаялся Том.

И действительно: после ультиматума Жоры и признания Тома ручеек записок начал сякнуть.

— Ну и?.. — осмелился подытожить Том, когда троица наконец вывалилась на свежий воздух.

Именно он был инициатором этого похода — точней говоря, подвоха, и потому небезосновательно опасался справедливой таски.

— Не, а про Славу-силиконщика-то он ничё так... от души...

— Ага, в собственное зерцало засмотрелся...

— Ну а в целом? — не отставал Том.

— «Water, water, everywhere, nor any drop to drink...»[1] — не сговариваясь, дуэтом отрапортовали *друзья по несчастью.*

— Загадайте желание, — повелел Том.

— Уже, — откликнулись оба.

— И еще одно, — засмеялся Том.

— И еще одно, — послушно отозвались в унисон: гениальный художник-иллюстратор, петрославльский книжный график, Сергей Борисович Берг — и феноменальный фотограф, фотохудожник от Бога, Игорь Витальевич Крафт; кандидаты на скорый, на очень скорый — и вполне закономерный вылет из жизни.

— А чего ты его мало снимал? — спросил Том закуривающего Крафта.

— А пленку жаль было, — затянулся Крафт. — Давайте-ка я вас лучше сниму... Вместе... Угу, на фоне вот этого тополя...

— 16 —

Прокрустов неформат

А Жора, придя после того выступления к одному из своих братьев, у которого он в Петрославле остановился и который в те поры был, сохраняя фамильную традицию, кум — царю, сват —

---

[1] «Вода — везде, вода — повсюду (в океане — *Т. С.*). Но нет ни капли для питья». *(Строки из «Баллады о морском волке» С. Кольриджа.)*

министру, проявил недюжинную силу воли и, опустошив только половину холодильника, заставил себя (схвативши себя же за волосы и за шкирятник одновременно) пересесть от обеденного стола за письменный. И вот что у Жоры от такой перемены столов получилось:

«Когда живешь на четырнадцатом этаже и день за днем, невидимкой, медленно всплываешь — по черной шахте лифта — к себе в квартиру — а живешь в этой квартире всего полгода, — не мудрено, что не знаешь соседей. Да и как их узнать? Люди рады уединенности комфортабельного жилья, поэтому они (Рената — не исключение) нарочно возятся подольше, как бы запирая машину или квартиру, — чтобы не оказаться в лифте с так называемой «окружающей средой». Наобщались за день, наобщались, вообще говоря, за жизнь — даже переобщались... Хроническое отравление. Это понятно.

Так что Рената до того самого пожара никогда и не видела Андрея, жившего, как оказалось, под ее квартирой. Происшествие, кстати сказать, закончилось благополучно: пожарная команда, прибывшая через шесть с половиной минут (нижняя соседка всё-таки ее вызвала — как раз когда Андрей исчез в клубах дыма), осталась практически без работы: их главный чин лишь заполнил протокол — и велел всем любопытст-

вующим позакрывать двери и окна — дабы не
угореть.

Вернувшаяся еще через полчаса незадачливая
родственница Ренаты обнаружила (помимо раз-
битого стекла в балконной двери): черную от ко-
поти, залитую водой кухню, утюг с начисто сго-
ревшим шнуром (значившийся в протоколе как
«источник воспламенения») и ошалевшую кош-
ку, которая перестала реагировать на свое имя.

...Оглядываясь назад, то есть вспоминая события того осеннего дня, Рената всё меньше криви-
ла душой, говоря себе, будто тогда просто хотела
отблагодарить соседа за «проявленное геройст-
во». Нет: уже в последовавшие скоро зимние дни,
а затем и во дни пронзительной, навылет, весны,
и особенно уже в незакатные дни сухого, как по-
рох, лета, когда, казалось, оброни кто-нибудь не-
осторожное слово — да что там слово! издай фальшивый звук — она, вспыхнув, взорвала бы вместе
с собой всё вокруг — этот дом, двор, мир (а мелкие
обломки долго еще парили бы в воздухе, как в
фильме «Забриски пойнт») — Рената ясно понима-
ла, что понесла Андрею («в подарок») книгу своих
переводов вовсе не для того, чтобы отблагодарить, а потому, что он ей понравился. Даже нельзя сказать: «сильно». Потому что разве чувствуешь силу удара, когда тебя, да со всего маху, — обу-
хом по башке? Чувствуешь сам удар. Да и то зачастую — ретроспективно.

— Тут у меня спальня... Тут кабинет... А тут гостиная...

Он мог бы не пояснять: его квартира была точной копией ее жилья. Рената уже собиралась войти в эту самую гостиную, когда, резко отпрянув, вскрикнула от ужаса.

Пола в гостиной — не было!

Вместо пола — чернел пруд.

На его поверхности нежились белоснежные лилии.

— Проект называется "Пруды и дни", — донеслось до ее слуха. — Вы замечали, например, какую роль играет пруд в любовной лирике девятнадцатого века? На берегу пруда назначают свидания, в пруду топятся... "Старый камень плачет, в пруд роняя слезы..." — помните, у Фета...

— А помните, у Есенина, — машинально, отозвалась Рената: — "Ты поила коня из горстей в поводу... Отражаясь, березы ломались в пруду..." — и тут, все еще стоя в прихожей, заметила, что потолок гостиной тоже представляет собой поверхность пруда — только с изнанки: лилии были видны снизу, словно она, Рената, смотрела на них со дна.

— У меня свое рекламное агентство... Зарабатываю деньги, чтобы заниматься настоящей — в смысле художественной — фотографией... Профессиональный телеоператор... Довольно много снимал в горячих точках — по всему миру... Но предпочитаю мирные ландшафты... Следующий

арт-проект будет называться "Вермонтская осень"...
Вы меня слушаете?

Рената, конечно, слушала — точнее, пыталась,
потому что стремительный поток новых и новых
сведений, бурля и пенясь в ее голове, как бы то
ни было, полностью отвлекал от вникания в смысл.
Она слушала просто голос: "...и вот сейчас мы —
вы и я — находимся как бы и на берегу пруда, и,
одновременно, в его глубине... и это дает нам
уникальную возможность... а с другой стороны...
он касается, главным образом... и эта концепция...
а еще потому, что..."

— А это ваша гитара? — Рената кивнула в сторону шестиструнки, стоящей, как ревнивая соперница, подбоченившись, — возле двери в комнату.

(Этим вопросом она хотела доказать — самой
себе — что сохранила относительную вменяемость.)

— Конечно моя! Вам сыграть что-нибудь? Может быть, из Альбениса? А Сеговью вы любите?
Или сыграть вам "Воспоминания об Альгамбре"?
В смысле — Таррегу хотите?

Она захотела их всех, а больше всего... ах, да
что говорить!..

...И на нее обрушились испанские водопады,
ручьи горных расселин и высокогорные ливни —
ее обдало жаром жестокое кирпично-красное плоскогорье — ее приласкала зеленоватая прохлада
лимонных и оливковых рощ — когтями пантер нацелились в нее мириады диких звезд — рассвет,

на ее глазах, толчками рождался из выплескивающего кровь небесного устья — от любви синих морских волн и золотого бриза рождался полдень — сумерки рождались из тел присмиревших деревьев — и черный шелк ночи снова умело ласкал большое голое тело луны.

— Да что ж это мы все в прихожей стоим? — внезапно услыхала Рената. — Эта фотоповерхность с нетерпением ждет, чтоб вы оставили на ней свои маленькие следы.

И Рената ступила на поверхность пруда».

С этим рассказом происходило черт-те что. Точнее, черт-те что, через неделю после первого Жориного звонка, произошло в полиуретановой редакции. А именно: Бабаяд (Ядвига Зовчак), оставив кресло редакционной мегеры, пошла на повышение: советником в Комитет защиты женщин при Президенте. (Звучит странно: каких таких женщин надо защищать при Президенте? Разве что Монику Левински?.. Так ее разобидел-озолотил совсем другой супостат... Вот и пойми тут.)

А новую редактрису уже мало волновали напоминания о петрославльской педикюрше Ксении. И вот она, новая мегера, новая метла то есть, в ответ на Жорины звонки, заладила отвечать так: неформат, неформат! снова, сударь, неформат! — будто других слов не знала. С еще не подпущенными к кормушке авторами новоявленная метла использовала только портативный словарик.

ЖОРА ЖИРНЯГО

Этот «неформат, неформат» звучал для Жоры как «недолет, перелет» — и Жора так ненавидел его, что мысленно, хотя бы для какого-то разнообразия, произносил навыворот: тамрофен.

Тамрофен, тамрофен, тамрофен! Что-то даже ветхозаветное, заклинательное было в этом... Хотя, конечно, в большей степени, звучало оно как бруфен, изобруфен, пурген... Тьфу ты, дьявол! Конечно, эту нестыковку можно было бы уладить минутным звонком (к Кому-Надо), но Жора в ту пору (которую можно было бы назвать «дотелевизионной девственностью») и впрямь искренне стеснялся такого рода отхожих промыслов — то есть вовсе не рвался в упомянутом промысле «светиться» (тем более перед нужными для более крупной стратегии индивидами).

Всякий раз после такого телефонного от-ворот-поворота Жора тяжко плюхался в кресло и тупо перечитывал отрывок, забракованный «ПОЛИУРЕТАНОМ».

«...В таких случаях не обремененные достоинством дамы говорят: “...зашла к нему на часок, а вышла через неделю”. Рената неоднократно слыхала эту пошлейшую формулировку, но раньше формулировка эта не резала ее слуха.

А сейчас... Если рассказать кому-то... но кому? и как именно? да и надо ли? Конечно, нет! — кричало всё ее существо. — Никому! Ни за что!..

Да и как перескажешь? даже себе?

Например, как они, в гостиной, медленно пили замечательный цейлонский чай — пили, неожиданно для самих себя, чинно и даже чопорно — и при том в таком трудно скрываемом смущении, что чуть уж было не заговорили о погоде... Разговор, так бурно и разнонаправленно начатый в прихожей, вдруг сложил свои лепестки — и превратился в плотно закрытый венчик цветка, смущенного наступлением сумерек... Внутри этого цветка скрывалось что-то смертельно важное и, конечно, единственное. Обоим было понятно, что цветок уникален и хрупок — да, он один такой в мире и очень раним, — а потому... А потому через час, вежливо попрощавшись, она ушла к себе.

Непричесанная, Рената лунатично бродила по своей квартире, совершая каждый шаг с неотвязно-осмысленной — даже болезненной — осторожностью. Она ходила по е г о потолку, и ей было страшно. Например, был страх повредить лилии. Ей казалось, что на каждой ее стопе появилось по глазу. И вообще эта родственная стопам, глазам, всему телу — почти анатомическая — перегородка, в виде пола для одного — и потолка для другого — ощущалась ею как нечто хрупкое, сотканное чуть ли не из крыльев стрекоз, а собственное тело — на такой поверхности — было словно незаконным (и отвратительно, опасно тяжелым). Странно было думать, что там, внизу, один к одному, находится такая же квартира — словно отражение ее, Ренаты, "верхнего мира"...

Но самым странным было осознавать, что в этом отраженном мире живет он. Ей казалось, что каждую секунду она чувствует — да что там! — знает наверняка его точное местонахождение в отраженном жилище. Всем существом она ощущала его передвижение по этому зазеркалью. Он в кухню — и она в кухню, он в спальню — она за ним...

Ее кровать располагалась строго над его белым кожаным диваном. На этом диване он и спал — по-мужски довольствуясь походным комфортом...

Она лежала в своей постели, зная, что там, внизу, в трех метрах глубины от нее, один к одному повторяя ее позу, сосредоточенно, лицом вверх, лежит о н.

...Они парили в черно-синем звездном пространстве параллельно друг другу: их тела — если вывести за скобки внутреннего зрения бутафорские подставки: диваны, кровати, потолочные балки, настил пола — их тела совершали плавный полет — параллельно друг другу — с ночной стороны Земли, вокруг Солнца. Они плыли друг над другом, два счастливых ныряльщика, ускользнувших от бессмысленного грохотания мира — плыли в блаженном подводном беззвучии. Вместе, чаще синхронно, они ловили жемчужины звезд —

и наконец, наплававшись вдоволь, нежно, как две неразлучные рыбы, вплывали в освещенную часть Земли.

...Рената просыпалась».

— 17 —

Асимметричные медведи и энигматические талончики

Уже через несколько месяцев после переезда в Смокву Жора самым естественным и даже неизбежным образом примкнул к — надежно защищенной собственной невозмутимостью — стайке «людей в порядке». Представители этой стайки, прибыв «с деловым визитом» в любую точку планеты, ни секунды не сомневаются, что лучший номер в отеле кротко ждет их, забронированный за полгода.

Еще в порывистой своей петрославльской юности Жора понял, что в Смокве-граде, для ублажения своего чревоугодия, требуется тратить энергии на целый порядок меньше, чем в Петрославле, где волка кормят, главным образом, ноги. В Смокве-граде же надо просто «включить голову» и, как это делал умный ежик, оказаться в нужном месте, и в нужное время. Половина вопроса по прибытии в Смокву-град решалась автоматически: «нужным местом» был сам вышеозначенный топос. Что же касается второго слагаемого успеха, а именно — нужного (правильного) времени — то с этим оказалось и того проще: следовало просто выслушать своих конкурентов и сделать наоборот.

Оказалось, что даже телефонные звонки, сделанные в пределах престольной Смоквы-града, срабатывают совсем иначе, чем звонки к тем же лицам, сделанные из Петрославля. Жора быстро пропах запахом смоквенской стаи; доминантные ее волчицы облизали Жору — Жора облизал их; альфа-волки улыбались, демонстрируя желтые, миролюбивые по отношению к Жоре клыки; он стал неотличим от прочих волков, кровным, своим.

Будучи волком, вовсе не надо руководствоваться образом жизни ежика, даже феноменально умного. Вовсе не надо подставлять свои иглы под падающие яблоки — это травматогенно, неэффективно — неэстетично, в конце концов. И вообще не волчье это дело — яблоки жрать. СЛЕДУЕТ БЫТЬ НЕБРЕЗГЛИВЫМ — вот ноу-хау волков: простой, однако — вследствие какой-то старомодной волчьей стыдливости — *негласный* принцип. Стыдливость, впрочем, не «какая-то», а во многом объяснимая: волкам крайне неприятно напоминание об их родстве с шакалами.

Вскоре глянцевые журналы уже сами обрывали Жорин телефон. Жора зачастую даже вынужден был, голосом своего автоответчика, говорить, что его нет дома. Жора не справлялся с лавиной требуемых от него рекомендаций — как сохранять элегантный вес (он мстительно и глумливо при этом хехекал: его рано облысевшего брата лечил лысый, как бильярдный шар, эскулап); как заново влюбить в себя мужа; как полюбить (целенаправленно облившую тебя кипящим оливковым маслом) свекровь, Высшую Истину, молочно-фруктовые маски, «себя, какая ты есть»; он едва поспевал давать советы — следует ли кастрировать лесного норвежского кота Эрни, можно ли по-прежнему доверять сердечные тайны подруге Анжеле; со всей ответственностью он предупреждал Козерогов и Львов, что в третью неделю мая их может постичь финансовый кризис — в случае, если они, не прислушавшись к внутреннему голосу, переоценят свои возможности, etc.

За эти юркие файлы — слегка шкодливые, в меру игривые, — файлы, изящно (на зависть злодеям-негениям) соединяющие поблядушкины исповедальные слезки и здоровый румянец добродетели, подписанные «Света Веденяпина», или «Всегда ваша Даша», или даже «Мата Хари», — за эти файлы ему платили раз в пять больше, чем толпам перевозбужденных желудочными энзимами голодранцев, осаждающих игольное ушко на входе в полиуретановый парадиз. Дело в том, что Жора, один, заменял собой человек пятнадцать отпетых циников — всё равно как подъемный кран заменяет штук пятнадцать хануриков, — так что, в целом, любая глянцевая редакция, где коллаборантом колбасился Жора — а колбасился он по всеми глянцевыми редакциями, какие только в Смокве-граде наблюдались, — имела прямой профит.

К этому времени Жора окончательно уточнил границы и очертания своего облика. Став неотъемлемой частью *cream of shit* (как метко назвал эту зоологическую группу один пересмешник), — т. е. частью сливок, украшающих шоколадные экскременты, — жирных сливок, обильно взбитых «полезным взаимообщением», — он являл собой перезрелый, мгновенно узнаваемый тип смоквенского литератора — трусливого, расчетливого, мертвого.

Такой вот оранжерейно-бройлерный индюшонок. Оборотистый, волшебно глупый. Мелочно-завистливый. Беспомощный. Который даже помыслить себя не смеет вне влажного подкрылья-подмышья своей корпорации.

Вот что писал о данном явлении природы американский зоолог и этопсихолог Рональд Дж. Браун («Симбиоз смежнокишечных в контексте смоквенского биоценоза»):

«Члены данной корпорации существуют колониями. Так природа захотела. Это кишечнополостные полипы, грибы (с их нерасторжимой, могильной грибницей), клоны лабораторной флоры и фауны, выводки, стайки, штаммы, своры. Их гастроэнтеральная (пищеварительная) система, их органы репродукции, а также органы самоочистки и т. п. — рассчитаны исключительно на режим корпоративно-соборного функционирования. Их желудок скудно выделяет ферменты, если корм подается как-либо иначе, помимо лоханей смоквоградского стойла-коллектора.

Кислород, всосанный где-то «на стороне», вне корпоративных (нарядных, как колумбарии) пейзажей, напрочь отказывается участвовать в процессе оксигенации. В этой колонии всё навсегда общее: жены, мужья, жвачки, дачки, дочки, тачки, тапки, продавленные диваны, филологическая феня, фиги в кармане».

А вот что о сходном явлении природы пишут газеты: «Интересный факт установила недавно группа ученых Кёльнского университета под руководством профессора Й. Шмидта. Представители науки обнаружили глубинную филогенетическую связь между смоквенскими литераторами подвида Жоры Жирняго — и подвидом горнокряжных асимметричных медведей».

И далее: «Подвид горно-кряжных асимметричных медведей был найден сравнительно недавно в одном из труднодоступных районов Тибета — и представляет собой медведей, у которых, в ходе местной эволюции, обе правые конечности являются на 30 см короче левых. Именно эта особенность, возникшая как адаптация опорно-двигательного аппарата медведей к специфике местного ландшафта, и позволяет этим асимметричным животным быть воистину неуловимыми. Удирая от преследователей на вершину горы, тропинки которой также асимметричны (правый ярус, по ходу к вершине, на 30 см возвышается над левым), они оставляют погоню далеко позади.

Однако, как можно догадаться, данное преимущество срабатывает лишь в одном направлении. Если же асимметричного медведя чем-либо вынудить двигаться в другую сторону, к чему он эволюционно никак не приспособлен, то на асимметричных тропинках, развернутых к нему, соответственно, другой стороной, это удивительное животное, делаясь полностью беспомощным, неотвратимо гибнет. Браконьеры, зная такую слабость этого редкого млекопитающего, пускаются на любые хитрости, чтобы заставить асимметричное четвероногое (шкура которого ценится коллекционерами баснословно) так или иначе сменить направление».

Смена направления? Для Жоры перелеты с континента на континент были, по сути, просто переходом из кабинета в кабинет.

Другого существования он не знал. Какие-то стихийности, спонтанности — интриги, подковерная борьба, тактико-стратегические ходы, дворцовые перевороты — это да, это пожалуйста. Та-

кие перманентные ухабы жизни не требовали о́т
него особого напряжения. Что легко объясня-
лось: 1. Ферментами именно для данного специ-
фического выживания он был награжден с рождения; 2. Он не знал, что бывает иначе.

Стихия? Экзистенциальная заброшенность?
Сохрани бог. Нет, терминологию-то он, конечно, знал — всякие там «ночевки под мостом», «не
к кому пойти», «блеск и нищета куртизанок»,
«священное чудовище» — уютное, удобно-иро-
ничное, привычно-небрежное перекидывание цитатками — но не как мячиками пинг-понга, для того Жора был, ясное дело, не годен, а так — шари-
ками хлебного мякиша за изобильным семейным
столом — цитатками из книжек, что читали ему и
его сиблингам няня, мама, бонна, тетя, шурин, те-
ща, тесть (все они, кроме няни, были людьми уни-
верситетскими).

В детстве Жора страшно завидовал книжным
героям, у которых все эти блага, недоступные, как
облака, жирнягинскому отпрыску, — голод, страх,
бесприютность — имели место в полном комплек-
те. Но уже в Жорином пубертатном возрасте ве-
роломная, сплошь в синяках и кровоподтеках,
слава Рембо, Сервантеса, Байрона, Лермонтова,
Верлена — авторов, «плохо устроенных» или / и
сознательно пренебрегших жизнеустройством (а
Жора с самого детства метил в писатели) — интересовала его только как яркий образец того, «что
такое плохо». (О чем, к счастью, так и не узнал без-

временно, а может, как раз вовремя сошедший в могилу Елисей Армагеддонович, сильно надеявшийся на более романтическое развитие своего последненького.)

На примере вполне респектабельных смоквоградских «бунтарей» (являвших чудеса просчитанно политизированной поэзии и взволнованно поэтизированной политики) Жора отлично усвоил, что в азиопском отечестве (где за настоящее противостояние всегда сажали, сажают и будут сажать) есть и другая «оппозиционность» — за которую хорошо платят именно власть имущие. Это такой комфортный нонконформизм, который надо проявлять не порывисто и безоглядно, как первую любовь, — а именно продавать, и притом продавать его, нонкомформизм, с умом, — даже торговаться, отлично представляя и целевой контингент покупателей, и маркетинг, и букмекерские ставки, и, разумеется, свой прямой профит.

Так что всё, касающееся торговли, — это да, это он знал. А вот жизнь за стенами кабинета и торгового зала... Да и существует ли она?

Одно время он зачастил в элитарный кинотеатр, устроенный специально для смоквенских VIPs'ов, где показывали новинки отечественного кино. Кино Жора не любил; в семье Жирняго синематограф считался низким жанром по опреде лению, но в кино ходить Жоре все же приходилось — в связи с определенными светскими обязанностями, а также потому, что — именно в темном кинозале с его бархатными креслами — кабинетному жителю всего безопасней и эффективней улавливать умонастроения масс.

«Массами» в этом элитарном кинозале считались родственники и, в частности, жены «кинематографических величин» — последние были представительницами такой породы, которые, родись они два века назад, были бы наняты господами художниками в кухарки. Ныне же, за отсутствием у художников долженствующих средств, эти неприхотливые хлопотуньи были возведены в ранг супружниц-рачительниц и также в должность муз-вдохновительниц, а обязанности по хозяйству несли бесплатно.

Шел фильм явно третьего разбору, и Жора уже намеревался вздремнуть, как вдруг его зевоту прервала странная сцена. Недозевнув, Жора так и остался сидеть с открытым ртом.

Сюжет подразумевал прибытие из Парижа молодой особы, на которой персонаж второго плана хотел женить своего сына — с тем, разумеется, чтобы выпихнуть его из ханства-мандаринства к цивилизованным горизонтам. В момент, который заинтересовал Жору, персонаж сидел на пятиметровой кухне, горестно перебирая какие-то неизвестные Жоре бумажки. Бумажки не являлись деньгами, это было Жоре понятно, но было понятно также, что персонаж, как-то связывает их количество с приездом гостьи, поскольку он то и дело в отчаянии шептал: «Не хватит!.. Не хватит!..»

— Что это он делает, зайка? — очень раздельно, громко и непринужденно спросил Жора. (Он не намеревался спрашивать громко, просто не привык понижать голос, и в тишине вышло на весь зал.)

— Он перебирает талоны, — быстрым шепотом пояснила жена. (Желая, кстати сказать, провалиться.)

— Талоны? — снова громко и слегка даже раздраженно (яйца мне крутят!) переспросил Жора. И снова, в отточенной — конференциями, семинарами, заседаниями — манере, медленно и раздельно спросил: — А что это такое?

Произнеся ключевое слово именно так, как пишется: не «што», а «что».

Да: он жил в рамках конференций, семинаров, семестров и, несмотря на то, что зачастую в глазах неизбалованной зарубежной аудитории казался ярким, как павлин, инсургентом (одинаково бойко понося с безопасной университетской кафедры то да сё — парламент, отсутствие демократии, климактерический период эмансипации, демократию как таковую, способы выведения кожных угрей, неидеальность демократии как таковой, цены на колбасу) — вне стен аудитории, вне рамок программы, «круга», системы — он был полностью «неконвертируем»: тюлень, вынуждаемый иногда делать что-либо не тюленье. Асимметричный медведь.

Шли годы. Очкастая жена перестала интересовать Жору даже как секретарша (тем паче как секретарша! посмотрели бы вы на секретаршу Гурицкого!), так что он был бы и рад — где-нибудь между Рио-де-Жанейро и Мюнхеном — приобнять-потискать развеселую, милую поблядушку, но... как это делается? Вот если бы поблядушка была официально включена в список мероприятий!.. Или если бы программа конференции обеспечивала участников матрешками-поблядушками в порядке, так сказать, этнографических сувениров, тогда... Ой, тогда, честно говоря, было бы совсем хорошо!

— 18 —

Идите и умрите там, или Кремация эмбрионов

Проплывая как-то на пируге по желтой речонке Хи-Саа возле городка Ламбродж, второго по величине и культурно-экономическому значению населенного пункта Южной Самброзии, Том Сплинтер, он же The Hermit, увидал на берегу объявление о конференции, посвященной современной южно-самброзийской литературе. *Каково же было его недоумение* (употребим готовую конструкцию), когда там, где значилась фамилия председателя, он прочитал крупными красными буквами:

G. E. ZHIRNIAGO

Он еще подумал тогда, что это совпадение, и, возможно, среди южно-самброзийских литераторов нашелся один (чем черт не шутит), который называет себя G. E. Zhirniago (мало ли, псевдоним).

Но в эту секунду, словно мыслию своей материализовав образ, он увидел на берегу Хи-Саа именно Жору (Жору трудно было не увидеть: он тянул уже килограммов на сто восемьдесят), который, что придавало грозного зевсообразия его облику — плыл, плыл по воздуху — именно плыл: на перламутром и слоновой костью инкрустированных носилках, которые почтительно подпирала дюжина чернокожих (так и хочется написать: «невольников», но то были, судя по всему, именно добровольцы: активисты местной библиотеки). Они, наряженные по случаю в праздничные бело-синие набедренные повязки, несли это языческое божество так изящно, как эбонитовые статуэтки — согнувшись и тихо, словно комары, напевая свои мистико-оптимистические гимны; гигантская белоснежная парасоль с рекламой какого-то пива колыхалась над той стороной Жориного тела (тоже колышущегося), которую в практической медицине принято называть вентральной.

Это зевсоподобное воздухоплаванье, собственно говоря, шло годы за годами, бесперебойно: конференция по никарагуанской литературе, почетный гость — Жора; конференция по современному зулусскому фольклору, главный докладчик и сопредседатель — Жора; конференция по обсценной лексике острова Мальта: своими впечатлениями о США задушевно делится с трибуны Жора Жирняго.

Стреляный читатель предположит, что речь идет о каком-то нарицательном «жоре» — хотя бы потому, что находиться одновременно в разных точках планеты не удалось бы даже и Цезарю. Но Автор настаивает: «Жора Жирняго» — имя не нарицательное (по крайней мере пока, до выхода этой книги), а также: находиться — физически, одновременно — в разных точках планеты, как показывает практика материализма (в т. ч. финансового), вполне возможно. То есть — *легко*.

Однажды The Hermit и Жора случайно встретились в одном, вполне корректном во всех отношениях, европейском городе: The Hermit там задержался на несколько лет: он перепирал вирши некоего гениального фламандского маргинала — и кормил на каналах уток да лебедей. Жора прибыл туда — правильно: почетно-председательствовать на конференции.

ЖОРА ЖИРНЯГО

Они столкнулись в кафе. С Жорой трудно было не столкнуться. Дело было тут не в его ста восьмидесяти килограммах, а в том, что он относился к такому типу существ, которые, войдя в любое помещение, словно бы выжирают в нем, притом мгновенно, весь воздух.

— Ну, и как вы устроились? — после регламентированных охов и ахов вальяжно спросил Жора.

И заказал два кофе. Характерно: он даже не заметил, что, по сравнению с тем человеком, которого он урывками знал прежде, у нового — другой пол, другое выражение глаз, он даже представился как-то иначе... Том?

Том попробовал ответить на вопрос «как устроились». Жора решительно ничего не понял. Тогда Том попытался пояснить конкретней:

— Я работаю при одном госпитале... — сказал он, делая маленький глоток из белоснежной, удручающе маленькой чашки.

— Врачом? — слегка картавя, живо и как-то очень жирно откликнулся Жора (зная, что The Hermit в прошлой жизни, еще до писательства, занимался именно этим).

— О нет... Я сжигаю операционный материал и абортированных эмбрионов.

— То есть?.. — приветливо глядя на него и заранее улыбаясь (предвкушая объяснение шутки, приличной людям его круга), переспросил Жора.

Том растолковал еще подробней. Эффект получился непредсказуемый (будучи поэтом, The Hermit являлся психологом, разумеется, аховым).

— Это правда?! — с невероятным оживлением воскликнул Жора. — Вы сжигаете эмбрионов?! — он так и впился в интервьюируемого своими слоновьими глазками.

— Правда, — скромно потупясь, признался отщепенец.

— И... по сколько же это выходит примерно эмбрионов в сутки?.. — при дружеской размягченности Жора говорил бархатисто, вкрадчиво, в нос.

— Почитай до тридцати, а то и более, — отвечал Том, покраснев от избыточного к себе внимания, которое он вовсе не хотел бы увеличивать: Жору, что называется, заклинило на эмбрионах, в то время как у Тома на тот момент была еще парочка работенок — три ночи в неделю бацать на обшарпанном фортепьяно в стриптиз-кабаре — и три дня, с ритмичностью ровно в полторы секунды, выкладывать плод красного перца на конвейер с овощами — словно бы иллюстрируя потогонную систему Тейлора.

— Боже мой!!. — вскричал Жора. И сделал он это так громко, что в чашечке с кофе поднялась маленькая черная волна: — Если бы я мог сжечь в своей жизни хоть один эмбрион! Хотя бы один-единственный человеческий эмбрирончик! О, я бы узнал тогда жизнь! И я бы почувствовал, что моя жизнь прожита не зря! Потому что это и есть жизнь! *Настоящая жизнь настоящего человека!*.. Вы знаете... — доверительно наклонился он к Тому (вокруг никто, разумеется, не понимал их языка, но «доверительные» наклоны давно вошли у Жоры в привычку), — я жизни-то настоящей, батенька вы мой, даже не нюхал. Кабинеты, рефераты, книжки... Идите!! — с неподдельной страстностью вдруг прокричал Жора. — Идите туда — и непременно работайте!..

«...*и умрите там, если можете...* — мысленно подхватил отщепенец (увы, захламленный, даже хронически интоксицированный цитатами, как и большинство его бывших компатриотов). — Жанровая сцена: Максим Горький благословляет Исаака Бабеля на отправку в Конармию...»

— Как я вам завидую! — всё не унимался Жора. — О, как я вам завидую! Вы живете *настоящей человеческой жизнью!*..

«Да куда я, на хрен, денусь? — усмехнулся про себя Том... — Всё что угодно, только подальше от смоквоградской камарильи вашей смердящей... Как можно дальше!.. Одно уже это есть благо неоценимое...»

А вслух произнес часть:

— Да куда я, на хрен, денусь?

— То есть? — не понял Жора.

— Это как в анекдоте...

— В каком же? — Жора, хрюкнув, отхлебнул из чашечки.

— Ну, вечерняя перекличка в армии. «Антонов!» — «Здесь!» — «Борисов!» — «Здесь!» — «Васильев!» — «Здесь!» — «Иванов!..» — Молчание... «Иванов?..» — Молчание... — «Иванов?!.» —

«Здесь!!.» — «Ясное дело, здесь. А куда ты, на хрен, рядовой Иванов, денешься?»

Жабо Жориной шеи вежливо затряслось.

— А... пишется ли... что-нибудь? — сымитировал он интимность.

— Нет. Ни времени, ни желания. Уже полгода беру уроки гитары: фламенко.

— Оооо!!! Испания!!! — страстно закричал Жора. — Испания!!! О какая там запеченная в горшочках рыба!!!

(Читатель помнит ли еще, что рыба была обещана? — *На вот, лови ее скорей!*)

— А вы давно там бывали? — спросил, чтобы что-нибудь спросить, The Hermit.

— Давно... Но... Ах, об Испании лучше не думать...

— Почему? — *как бы* светски *как бы* полюбопытствовал The Hermit.

— Потому что для человека, который сидит на строгой диете, — вздохнул Жора, — про Испанию лучше не думать...

В Жорином положении не токмо что про Испанию, но и вообще ни про какую страну лучше было не думать. Кругом, куда ни плюнь, есть своя, порожденная на искус и муку смертному, национальная кухня — всякие там специалитеты, то да сё.

Получалось так, что вообще лучше не думать. (С этим трудно спорить. Всечеловеческая панацея.) Тем более лучше было не думать, потому что болезнь прогрессировала: о чем ни подумаешь, всё хочется съесть. Это вот как слабоумие младенческое: младенец же всё в ротик свой знай затягивает... Ротик для него — единственный инструмент миро- и самопознания...

Наконец Жора поймал себя на том, что, глядя на человека, ему хочется его... как бы это поточнее выразиться... Вот стоит, скажем, перед ним уважаемый индивид, милейший во всех отношениях — профессор-энтузиаст из американских прерий — или же смоквенский депутат-министр — Жора с ним вроде цивилизованно ручкается, говорит «очень приятно», всё такое, а на самом деле он, Жора то есть, этого индивида, хоть в крик кричи, на потребу утробе пустить алчет. Иными словами, сожрать. И, чем индивид милее, тем он вкуснее, т. е. больше его хочется.

И вот это открытие оказалось для Жоры самым ужасным. Ну, холмы австрийские, ну всякое там, в фантазиях разнузданных, камнеглотание или слоноедение — ну еще туда-сюда. Но каннибализм?..

— 19 —

«Давайте мы с вами заг′егестг′иг′уемся!»

...Это был массивный еврей, вывезенный более полувека назад из Бердичева, — крупногубый, большеносый, толстовекий, толстобровый, с толстым мясным голосом (толстые бердичевские уши, похожие на волосатые пельмени, были почти глухими) — вообще крупногабаритный экземпляр — и притом словно бы беззащитный своей большой телесной неувертливостью.

Звали его Аркадий Самуилович Райхерзон, однако студенты, выпуск за выпуском, продолжали хранить — стойко вклепанное в их убогую бурсацкую житуху, куда менее респектабельное имя своего лектора — Пельмень. В этом навязанном эскулапу псевдониме, во многом даже обидном для представляемой им науки, был отражен морфологический недостаток Аркадия Самуиловича, а именно — толстые, обильные, словно туго набитые сочной начинкой, ушные раковины. (Равно как и хроническая голодуха бурсаков-эскулапов.)

Однако природа одарила Аркадия Самуиловича и другими чарами. Пациентов он всегда называл «г'одненький» или «г'одненькая» — что вовсе не означало годность его, пациента, к строевой службе, а значило только, что у Аркадия Самуиловича был влажноватый, даже бурляще-пузырящийся изъян речи. Сидя в коридоре, Жора слышал, как психиатр громко втолковывал очередному посетителю:

— А я вам скажу, г'одненький, у меня еще ни г'азу в жизни не было такой женщины, чтобы у меня не было с ней эг'екции! В жизни не было! А почему?! А потому что сексуальная паг'тнег'ша должна быть физически пг'и-вле-ка-тель-ной! Вы меня поняли, что я имею в виду?! А?! Вы поняли это, что я вам сказал?! А еще лучше — кг'асивой, здог'овой женщиной!.. Желательно с пг'остым, г'адостным, психически уг'авновешенным хаг'актег'ом! Так что смените, как можно ског'ее, свою тепег'ешнюю неэг'отическую паг'тнег'шу — и вы получите себе об'гатно вашу п'гек'гасную полнокг'овную эг'екцию!

Приватную практику он вел, арендуя помещение для кабинета в маленькой обшарпанной гостинице «Ариэль». Таким образом, сидя в холле, Жора был вынужден слышать не только медицинские рекомендации Аркадия Самуиловича, но и телефонный разговор колченогой администраторши, которая, едва возвышаясь над стойкой, возмущенно учила уму-разуму трубку:

— Раньше!.. Ха!.. Сказанула! Ты еще вспомни, что при царе Горохе было! — она яростно стряхнула пепел в кофейную чашку. — Раньше клиент деликатный был, понимающий... юморной! Бывало, преподнесет французскую губную помаду... Уже симпатично, верно? Ну, поблагодаришь... А губы как возьмешься красить — а там внутри-то, под крышечкой, — червончик намотан... Ненавязчиво так! Со вкусом!.. А иной раз — и четвертачок... Элегантно, скажи?

Когда из желтоватых дверей с табличкой «А. С. Райхельзон» наконец выкатилось квохчущее, смахивающее на кастрированного гнома существо, Жора, отсчитав двадцать секунд, вежливо постучал...

— Здг'а-а-авствуйте!.. Давайте мы с вами заг'е-гистг'иг'уемся, г'одненький! — прокричал Аркадий Самуилович свою дежурную шутку, которую он регулярно использовал на протяжении тридцатилетней практики. — Вы, г'азумеется, не будете пг'отив?!

Жора прокричал ему вкратце историю своей жизни — и, в деталях, историю болезни...

— Булимия магна-циклопика! — радостно констатировал психиатр. — С ведущим булимо-циклопическим синдг'омом!

Он посмотрел на Жору так, словно тот, получив наконец давно искомое, может теперь, в удобной для него форме, поблагодарить и уйти. Жора закусил губу и вперился в пол. Аркадий Самуилович раскрыл какую-то тетрадь, энергично стряхнул на пол старинную ручку и полностью ушел в себя. Записывая, он изредка переводил дух, издавая задумчиво-отрешенные звуки: у-пу-пу-пу-у-у!.. пу-пу-пу-у-у!.. у-пу-пу-пу-у-у!.. пу-пу-пу-у-у!.. Прошло минут десять...

— А делать-то что?.. — очнулся от оцепенения Жора.

— Пг'остите?! — дружелюбно оживился Аркадий Самуиловович.

— Что дела-а-ать?!! — взвыл Жора.

— Ну что вы так кг'ичите, г'одненький?! — укоризненно поморщился Аркадий Самуилович. — Я пока, слава богу, пг'евосходно всё слышу... Не надо так над'гываться...

Жора тихо заплакал. «Что де-лать, что де-лать — и кто вино-ватый...» — уютно, на мотив «Тачан-ки», напел самому себе Аркадий Самуилович. За окном, очень близко, был виден золотой церков-ный купол. Рука, которая когда-то, хамским жес-том, низвергала крест, — теперь, тем же хамским жестом, этот крест водружала.

— Г'азденьтесь, г'одненький, — свойски подмиг-нул ему Пельмень, — я вам пг'опальпиг'ую бг'юш-ную полость.

Жора приспустил брюки, лег на холодную ку-шетку и задрал рубашку.

Где-то невдалеке с мощным подземным гулом шли танки. По телевизору, уже третий день, пля-сали вприсядку березки, лебеди, раки, щуки...

Рьяно засучив рукава, то есть обнажив волоса-тые свои поршни, Аркадий Самуилович, словно меся тесто в гигантской квашне, попытался дос-тичь Жориной нутряной, самой глубинной тайны.

— А за большое вы, г'одненький, ходили, на-вег'ное, еще до пег'евог'ота?!. — элегически пред-положил психиатр.

Жору прорвало; он зарыдал. Рыдать было не так-то просто. Пельмень бросался на Жорин жи-вот яростно, всем телом, как на амбразуру, как бык на багряную тряпку, как хряк, пытающийся честно покрыть изрядную свинью.

Жорины рыдания Аркадий Самуилович при-нял за полное и безоговорочное раскаяние. Он сел за стол, медленно опустил рукава и отдышался.

— Пг'одукты питания пг'оглатываются г'егуляг'но, а пг'ямая кишка г'егуляг'но не опог'ож-
няется! — начал он обиженно. — От этого пг'о-
исходит...

Зазвонил телефон.

— Да!! — крикнул Аркадий Самуилович в трубку. — Здг'авствуйте, г'оденький!!. Что?!. Как?!.
Ска... Скалкой?! Дефлог'иг'овала себя скалкой!!
Пг'екг'асно!!. Пг'ег'асно!!. Пг'евосходно!!. Это не
ко мне!! Это не ко мне, г'оденькие!! Покажите
ее сначала на эндокг'инологическом!! Да!!.
Именно! Г'оману Аг'туг'овичу Ваг'енникову!!. —
Аркадий Самуилович резко положил трубку и, с
прежней лекционной интонацией, продолжил: —
...пг'оисходит специфическое г'аздг'ажение токсинами пищевого центг'а в ког'е головного мозга, что пог'ождает зве-е-ег'ский... (он разверз рот
и выпучил глаза) аппетит!.. Пг'ичем в г'езко
извг'ащенной, пг'авильнее сказать, пег'вег'сной
фог'ме!..

«Что же делать?! — стучало в отравленном фе-
кальными токсинами Жорином мозгу. — Ни хрена... ни хрена он не рубит!.. Это же крышка!.. мне
крышка!.. Светило долбаное!..»

— Кто-нибудь из г'одственников подобным
стг'адал?! — прокричал наконец эскулап. (Что, в
переводе на человеческий, значило: отдаете ли
вы себе отчет в том, что на Скрижалях Судьбы ваша болячка давным-давно уж записана?.. И выма-
рать ее оттуда мы не можем?..)

— Все, все родственники страдали, страдают — и страдать будут!!. — заорал Жора.

— Ну так что же вы хотите!!. — обрадовался психиатр. — Два сг'едства!..

Он вздохнул, выпучил губы и, мягко барабаня сардельками по столу, выдал череду задумчивых у-пу-пу-у-у!.. пу-пу-пу-у-у!... Затем окончательно привел в порядок рукава. Затем взял обгрызенный карандаш и почесал им ухо.

— Пег'вое, — он громко стукнул карандашом по столу. — Г'егуляг'но, два г'аза в день, опог'ожняйте нижний отг'езок своего пищеваг'ительного тг'акта!! Это должно быть, как молитва: вечег'няя молитва и утг'енняя молитва, вы меня понимаете?! Сел на унитаз и вот о-о-очень, о-о-очень хог'ошо постаг'ался, вот весь-весь напг'ягся, пог'або-о-отал пг'ессом, потг'уди-и-ился!!. А втог'ое!.. — Снова удар карандаша. — Г'одненький, вам надо сосг'едоточиться на каком-нибудь одном пг'одукте питания!.. На одном! Выкиньте из головы, г'ади всех святых, ваши мог'я, гог'ы и г'авнины!! И пг'офессоров, и министг'ов — тоже выкиньте! И любых смег'тных! Даже самых вкусных. — Аркадий Самуилович от души засмеялся своей шутке. — Хотя бы и пг'езидентов или членов ког'олевских семей! Пг'едставьте себе что-нибудь одно-о-о — много-много, но одно-о-о, понимаете?! Это как г'аздельное питание, г'одненький: вот так сосг'едоточился, сосг'едоточился и пг'едставил!.. (Он живо изобразил мечтательную сосредоточенность.) Напг'имег': кусок свежайшей, не жиг'ной, сохг'ани бог, г'озовой ветчины!.. Г'азмег'ом с Эльбг'ус. или Аг'аг'ат!!.

...Когда Жора выполз от Аркадия Самуиловича, ноги сами привели его в какую-то заплеванную пельменную, где он нажрался всякой дряни, причем исключительно вперемешку. После чего, уже дома, его долго, мучительно рвало. Почему-то Жоре казалось, что эта акция совершается им назло — Пельменю, себе, всему миру.

— 20 —

Крандец кастальскому ключу

К этому времени глянцевый журнал «ПОЛИУРЕТАН» осуществил свое слияние с гламурным журналом «THE FOAM» («ПЕНА»). Сияющий гибрид, «ПЕНОПОЛИУРЕТАН», украшенный «людьми новейшей формации» и «правильным» руководством, пригласил Жору поколбаситься на своей орбите.

Однако Жора не только кропал свои мульки для отдела «Интимные связи». Развив прыть фантасмагорическую, он взялся фигачить материалы за уволенных щелкоперов — из своего и двух смежных отделов (компромат на них накропал он же).

Главный редактор, X.Y., доводился шурином спонсору. Когда-то в миру, еще не будучи ни главредом, ни шурином, он закончил Институт сельского хозяйства, феодальствовал освобожденным парторгом в каком-то медвежьем углу и, если бы тогда, взявшиеся интервьюировать X.Y., спросили его про любимые 1. блюда, 2. одежды, 3. напитки, 4. книги, 5. хобби — и если бы X.Y. ответил на все вопросы честно, что абсолютно исключено, то ответы были бы, соответственно, такие: 1. картошка с селедкой; 2. тренировочные брюки и майка; 3. водка и пиво (любые); 4. затрудняюсь ответить; 5. рыбалка и бабы (любые).

Однажды Жора рылся в своем домашнем архиве, желая обработать какой-нибудь старый свой текстик на предмет тиснуть в глянце любую лабуду знаков так примерно на пять тысяч с пробелами — «Совет подруги», «Совет подруге», «Исповедь подруги», «Отповедь подруге» — и т. п.

Он нашел рукопись, на полях которой были нарисованы шариковой ручкой вазочки с икрой, царские осетры, поросенок, держащий в зубах веточки сельдерея...

Жора быстро пробежал глазами начало... конец... середину... и начал читать с первого попавшегося абзаца:

«Три утра подряд, начиная от пожара, она находила в своем почтовом ящике открытки: "С добрым утром, Рената!.." А дальше, настоящим, бесспорно мужским почерком, — несколько слов о том, чем интересен и ценен именно сегодняшний день... Там были точные — не уступающие бунинским — замечания о цвете неба и листьев, об оттенках раннего утреннего света (открытки опускались в ящик по пути Андрея на работу) — и еще о том, кто из интересных людей (и чем конкретно) занимался в этот день — десять, сто — или тысячу лет назад...

На четвертый день в открытке было написано вот что: "Рената, могу ли я заглянуть к Вам сегодня вечером — часов, например, в восемь? У меня есть предложение, которое, возможно, покажется Вам интересным. Если Вы не против, на что я искренне надеюсь, тогда не отвечайте — я зайду. А.".

И день полетел кувырком! То она сидела неподвижно, как в ступоре, с полностью парализованной волей, — то вдруг лихорадочно, трясущимися руками, начинала рыться в платяном шкафу...

А ведь сегодня она планировала продолжить самые активные поиски работы! Контракт с издательством давно закончился, деньги тоже, а новые возможности, как она ни билась уже несколько месяцев, глумливо ускользали прямо из-под ее носа... Но сегодня... какие уж тут контракты!

В восемь часов вечера она ясно услышала, как на площадке тринадцатого этажа открылась и хлопнула дверь... Она метнулась в самый дальний конец квартиры, чтоб распахнуть дверь не сразу.

ЖОРА ЖИРНЯГО

...По прошествии этих дней, что они не виделись, Андрей показался ей еще притягательней. В его руке был букет маленьких, пронзительно-синих цветов, названия которых Рената не знала...

— Может быть, лучше в кухне? — с улыбкой ответил он на ее жест пройти в квартиру. — У меня дело на пять минут...

На кухне она хотела было поставить кофе, засуетилась...

— Не надо, Рената, — мягко остановил он ее. — Благодарю вас, но кофе — это всё потом, потом... Вы мне скажите лучше — я помню, вы говорили, что закончили иняз, — какие языки у вас в активе?

Такого оборота Рената, как ни крути, совсем не ожидала.

— Английский, конечно, — она сумела скрыть растерянность, — ну, затем, французский, испанский... португальский... нет, португальский — со словарем.

— Отлично! Вы свободны, скажем, с первого октября — на неделю?

— Я всегда занята и всегда свободна, — сказала Рената, стараясь показать, что на отвлеченные вопросы она дает отвлеченные ответы.

— Тогда я буду признателен, если вы не откажетесь полететь со мной в Шотландию. В качестве переводчицы. Мне надо отснять материал об одном замке — точней, об одном художнике, который в нем жил...

...Пламя свечи делало всю эту сцену не только малореальной, но словно еще контрастней оттеняло "сегодня" от "завтра". Сегодня — день такой полнокровный и новый, он готов лопнуть от напора своего счастья, а завтра — он будет еще новее, еще сильней и счастливей! И, в соответствии с этим неизбежным обновлением (как раз в тот момент, когда Рената сидела на сцене своей кухни и, оглушенная, молча кивала), — за кулисой более крупного театра, сценой которому — вся планета, уже стояло, полностью готовое к выходу, новое действующее лицо...»

«Красиво умел, сукин кот, — вяло подумалось Жоре. — Однако сейчас эта лабуда годится еще меньше, чем пару лет назад... Ладно, забыли... Что там я должен сегодня накакать? Тур в стиле экстрим... Джакарта... Щас быстренько накомпилячим... Не, накомпилячим потом... А щас чё-нить вкусненького...»

Он горестно, на манер Ваньки Жукова, вздохнул, но взял себя в руки и, с резвостью брачующегося кузнечика, застрекотал:

«Моллюски, заключенные в раковину, издревле служили пищей... Если вам наскучило каждый вечер проводить в ресторане, предлагаем вашему вниманию... эти несколько блюд из улиток, приготовленные в домашних условиях, не отнимут много времени, а вашему кавалеру покажутся наверняка изысканной сюитой перед...»

Он громко сглотнул слюну: звук был таков, будто вантузом прочистили слив.

— Кстати... Зайка!!. — позвал Жора жену.

В тот же миг пред очами его предстала супруга — ни дать ни взять, *в безмолвности и совершенстве мифологического воплощения.*

Жора хотел сказать о рассказе: «На, выкинька на хрен», — и поторопить с обедом: когда Жора брался за кулинарные рецепты, жор разрывал его в клочья — вот как похоть когтит и мочалит любителей чатов в стиле «хардкорд». Оккупированный мечтой об обеде Жора забыл про рукопись; жена послушно ушла на кухню, а он снова набросился на киборд:

«...несколько блюд из улиток, мидий и устриц, которые... и легки в приготовлении... в саду, на берегу моря... Женщина-Скорпион... следует оставаться сексуально притягательной, но не всегда вызывающей... наденьте сегодня... это наверняка оценит ваш... поддерживать в хорошей форме ваше тело: возлюбленный-Скорпион любит смотреть на него... всегда оставаться для него загадочной — любопытство разжигает интерес и сексуальную энергию Скорпиона...»

Эх, Жора! Нет, не «подержи мой макинтош», — не надо! Я вот о чем: из этой твоей пластмассы — лучше бы съемные челюсти пенсионерам поднаделать. А ты еще Брячислава Славословникова за его индустрию силикона критиковал! Слава-Силиконщик-то, рабочая кость захолустья, свою целевую задачу (вползание в смоквоградский истеблишмент, ввинчивание во властишку от словесности) — хоть «литературой» как-то пытается камуфлировать... Да и как властишку не поднять, если она прямо на земле валяется? Истинно: искушение греховное... Но и не поднять — грех... Только ленивый и не поднимет... А смоквитяне, что под юрисдикцией столичного Музагета пребывают, хоть и суетливы, но одновременно и леноваты... Что взять с них? — богема... Ох, леноваты... «ПРИДИТЕ И ПРАВЬТЕ НАМИ!..» И спослать тебе, заунднейший из зануд, Брячислав-Силиконщик! Аве, пупсик-отличник, номенклатурщик, плексигласовый функционер! Умудрился же — ростиньяковой указочкой — превратить живую, разноцветную, как жизнь, смоквенскую литературу в Единую Тухлую Канцелярию!

Так что «бычок» властишки с земли поднять, — с этим у индивида трудолюбивого — никаких терний в Смокве-граде не возникнет. Да: Слава-Силиконщик свои «жорные» рефлексы-надобы, карикатурную провинциальную спесь, клиническое свое тщеславие хоть как-то камуфлирует — «изячной словесностью» срам прикрывает... И хотя, прямо скажем, белыми, бэушными нитками всё у него шито — но он честно *пытается*... А ты... Эх, Жора, Жора... Барчук — он и есть барчук.

Но... Nota bene! Поскольку в современной Смокве (особенно в Смокве-граде) всё равно любимых писателей нет — и не предвидится, а есть лишь *писатели коммерческие* (Неиссякаемые) *и писатели статусные* (Неприкосновенные), так чего я, Том Сплинтер, аки репей, к тебе, бедному недотёпе прицепился?

...После обеда, состоявшего из жареного барана — целого барана, но одного, без злокозненного гидрокарбонатного гарнира (раздельное питание: трусливое следование рекомендациям Пельменя), Жора направился прямиком к дивану. Здесь опять следовало подчиниться наставлениям эскулапов, т. е. если и завалиться на ложе (что он немедленно сделал), то хотя бы не задавать храповицкого, — а коли уж задать храповицкого, то хотя бы не с ходу.

Жора (под псевдонимом Тедди-Жердочка ведущий в «Джакузи» колонку «Худеем едя») недавно как раз сообщил читательницам, что некоторую часть калорий сжигает также и процесс чтения. Вау! Правильно. Вот прямо сейчас и сожжем.

Глаза, уставшие от монитора, следовало окунуть во что-нибудь целлюлозно-бумажное. Во что бы? Нечто, бывшее когда-то, наверное, прелестным деревцем, мерзко зашуршало под Жориными лядвеями. Пыхтя, матерясь, задыхаясь, он приподнял свой афедрон и, в несколько приемов, вытащил смятую рукопись. Это был всё тот же — предназначенный помойке — его рассказец. Снова, с родственной снисходительностью, Жора погрузил свои очи в этот литобсевок, неуклюжий гибрид лирики и коммерции — так и не подогнанный когда-то под прокрустов формат «ПОЛИУРЕТАНА»:

«...По прибытии в Петрославль четыре года назад, этот человек первое время называл себя "мененджер". Видно, не расслыхал то словцо как следует в своих Нижних Похмельках, да и какая разница — зато более чем отчетливо он понимал, чего именно хочет в результате. После школы он немного пообтерся в одном из областных центров, где, благодаря быстроте своих реакций, смазливому экстерьеру и цепкой памяти, какое-то время учился на актера. Веди он себя правильно, серые нагловатые глаза, светло-русые волосы, врожденное изящество спортивной фигуры — дали бы ему возможность со временем играть героев-любовников — и не только в областном драмтеатре, но, возможно, в кино. Однако пламенная, сродни перверсной, страсть к автомобилям, особенно эксклюзивных марок, толкнула его на их систематический угон. Это было сродни бездумной детской тяге к сладкому: он вел себя, по сути, как пятилетний шалопай, который залезает в буфет, чтобы стянуть оттуда горсть шоколадных конфет, — а после хоть трава не расти, пусть выпорют.

И выпороли. Правда, на его удачу, не по всей строгости, без оттяга: он ведь машины угонял не насовсем, а только покататься, и потом их бросал, не присваивал. И вот ему дали год условно — и исключили из института. Вот в этот год он и совершил в некотором роде профессиональную переориентацию.

Отправившись сначала именно в Петрославль (такова была его хорошо рассчитанная стратегия), он уже в поезде, маясь в жестком плацкарте, придумал себе псевдоним: Эдгар Смог. Ему особенно нравилась фамилия: она заключала в себе словно бы и английский smog — сувенирный лондонский смог, так изысканно драпирующий очарование этого города, — и немного «сноб» — и, с третьей, наиглавнейшей стороны, — самый что ни на есть смоквенский глагол совершенного вида: вот он, «мененджер», взялся за дело, наметил себе сверхзадачу — и смог достичь ее — смог, смог!

В шоу-бизнесе английская пословица — "Дай собаке неудачную кличку — и можешь смело ее повесить" — действует с устрашающей наглядностью. Забегая вперед, скажем, что псевдоним "Эдгар Смог" идеально подошел двадцатитрехлетнему завоевателю обеих столиц, то есть сидел на нем, как влитой, — так же элегантно, как костюмы из лучших модельных домов — костюмы, которые он быстро выучился носить с естественностью собственной кожи.

Завоевание Петрославля он начал с того, что принялся энергично раскручивать звезд восьмой (третьей с конца) величины. Впрочем, какая же это звезда, если она восьмой величины? Но Эдгар смог (смог, да, смог!), шагая широко и хозяйственно, сделать их звездами седьмой, затем шестой, затем пятой величин... Одновременно с этим, наращивая хватку, шлифуя сноровку, интенсивно обрастая связями (незаменимым в этом деле оказалось его умение правильно преподносить свою внешность и "хорошие манеры" — самое ценное, что он успел вынести из театрального института), — он начал потихоньку подползать к звездам второй и даже — чем черт не шутит! — первой величины, причем уже в городе Смокве.

За три с половиной года он выдержал жесточайшую схватку с несколькими прочно укоренившимися импресарио, дважды был ранен (в плечо, в лодыжку), раз чуть не задушен, трижды чуть не выброшен из окна — но не только удержался на плаву, а и взял верх. То есть не поставили парки его имени на гранитный камушек новостроечного погоста с подписью "ОТ БРАТКОВ".

И вот через эти три с половиной года он стал совладельцем, а еще через полгода — единственным владельцем одной из крупнейших смоквоградских риелторских компаний; в первопрестольной Смокве и в Петрославле у него уже пустовало по обширной квартире (во время деловых визитов он предпочитал останавливаться в отелях), обычно он жил на своей пригородной вилле под Смоквой-градом, другая вилла, с огромной оранжереей в придачу, содержалась вышколенным персоналом недалеко от Ялты — и, конечно, он постепенно собрал автопарк симпатичных иномарок, которые, следуя своим капризам, обновлял довольно часто.

Вот тут его потянуло к музам бескорыстно. Он был уже достаточно обеспечен, чтобы позволить себе артистические шалости и даже причуды».

«Хорошо, однако, жилось сволочам, — неласково помянул Жора предков. — Еще бы они, на хер, жаловались! Обслуживали быдляков — да! Но не таких же! Элитные сукины детки, вроде меня, заслуживают права ублажать членов Сената — причем, разумеется, не смоквенского. А тут измыливаешься, как рублевая блядь, да к тому ж для биндюжников. Для биндюжников, их супружениц — и вообще всех этих недосуществ, в которых те периодически сливают. Так-то, дедули-бабули! Сердечное спасибочки за историческое наследие!»

Жора вырос в просвещенной семье, с Брокгаузом-Ефроном в качестве естественной отделки стен, с Прустом в обнимку, с Джойсом вприкуску, с Кафкой вприглядку. Этот мальчик (в Куоккале летом танцевавший на детских балах) лез когда-то из кожи вон, дабы обкорнать мозги свои под эстетические потребности звероящера, и довольно долгое время не был в этом успешен...

Сейчас он вспоминал об этом периоде с усмешкой... Освобождение от таланта! Тут была закавыка великая. Йоги, могущественные, как боги, умеют усилием воли менять пол. Но ни одному йогу еще не удалось освободиться от дара.

Удалось — Жоре.

Небо смилостивилось над ним.

Он самодовольно ухмыльнулся... Соснуть, что ли? Или сжечь с помощью чтения еще энное количество жировых отложений? Гореть всегда, гореть везде!.. Дюжину-другую килоджоулей, ммм? Ладненько, пожалуй, что и сожгу:

«...Объявление в рекламной газете от двадцать девятого сентября гласило, что завтра, тридцатого, на просмотр в клуб "Аквилон" приглашаются брюнетки от 22 до 28 лет, ростом 161—165 см, весом до 55 кг, с густыми и гладкими длинными волосами, ярко-синими крупными глазами, хорошо развитой грудью, крутыми бедрами и тонкой талией. В конце жирным шрифтом значилось "Не интим" и "Оплата высокая".

...Рената ехала в клуб, боясь заснуть за рулем... Жить хотелось как никогда! До этого, дома, она тщательно привела себя в порядок. Внешне-то привела, но в мыслях порядка не было. Не было ясно — и оттого, ночью, она никак не могла уснуть — что значит это схождение событийной лавины, произошедшее на ее кухне, — лавины с туманной Шотландией как сомнительной точкой опоры — схождения, невероятного хотя бы и тем, что сама Рената и пальцем не пошевелила, чтобы ее вызвать...

Боясь заснуть, она стала напевать — сначала тихо, потом все громче и громче:

Te ador... tu amor...
deixasse corpo da gente marcado...
O-o-o-o !.. porque se mina gente tatuado...[1]

Войдя в холл "Аквилона", она сразу была поражена тем, что, помимо девушек, более-менее соответствовавших указанным характеристикам, там было полно других — даже отдаленно не напоминавших искомый образец. Видимо, они надеялись — в случае, если им дадут пусть крохотный шанс (хотя совершенно не было понятно, о какой работе идет речь), — похудеть, перекраситься, помолодеть, изменить телесную конституцию...

Девушки, одна за одной, исчезали за дверью — и, потерянные, выныривали назад через минуту-две. Сведения, которыми они делились с убывающей толпой конкуренток, были однообразны: там сидят два молодых мужика... Какие, какие?!. Один — стильный, другой — так себе... А что спрашивали?!. Ничего. Велели взять со стола телефон стационарный... синий такой... А потом? Потом — подержать трубку возле уха... А потом? Потом — ничего... Пожелали успеха в других фирмах... Вежливые...

---

[1] Из песни Джоан Баэз.

— Секретаршу ищут, — убежденно сказала толстая крашеная блондинка (телеса ее были размыты, как и возраст) — и с вызовом обратилась к Ренате: — А ты вслепую печатать умеешь?

Печатать вслепую Рената не умела.

— Ан-шлаг... — как-то растерянно проговорил по складам наниматель, не отрывая глаз от Ренаты. Потом резко толкнул другого, что-то строчащего в блокнот — видимо, помощника — и, грохнув кулаком по столу, заорал во все горло: — Полный аншлаг!!!..

Рената еще не знала тогда, что у этого человека, с тех пор, как он начал завоевывать шоу-бизнес, данное выражение служило высшим проявлением восхищения. А присказка в меланхолическом настроении была такая: "Линкольна застрелил актер!.." (В развернутом виде эта фраза, произносимая жирным баритоном, звучала так: "Главная заповедь импресарио? — далее шла маленькая, но красноречивая пауза, а за ней многозначительный ответ: — Помнить, что Линкольна застрелил актер". Кажется, это была цитата из фильма.)

— Пойди, скажи этим, чтоб расходились... — приказал он помощнику.

— Но... — помощник от растерянности сломал карандаш.

— Скажи, чтоб расходились!.. Рената Владимировна, — продолжил наниматель, лицом и голосом давая понять ей, что это имя-отчество ласкает его ротовую полость, — могу я вас попросить взять со стола этот вот синий телефонный аппаратик? Да нет, вы приняты, — мгновенно отозвался он на ее растерянный взгляд, — стопроцентно приняты... Это я, так сказать, для собственного плезиру... побалуйте нас, чаровница, будьте так великодушны...

Ренату внутренне передернуло от этого тона, от "чаровница" — в особенности, но телефон она, что делать, взяла — при этом машинально даже сняла трубку и приложила ее к своему маленькому уху... Глядя на нее с телефоном, наниматель даже расхохотался от удовольствия.

— А теперь... это уже за рамками программы... я хотел бы послушать ваш голос... Нет, петь вам в дальнейшем не понадобится — это не входит в наш с вами проект. Но здесь, сейчас... — его просящее лицо приняло выражение беспомощности. — Не могли бы вы что-нибудь для нас, так сказать... в порядке жеста расположения... авансом?..

И Рената, не прекращая ни на миг думать об Андрее, посвящая эту песню только Андрею, снова исполнила "Te ador"».

Ёлки-палки! Жора быстро встал, что было для него совсем не типично — и даже закурил, чего не делал почти никогда, даже для отбивания аппетита (рака гортани и легких боялся панически — то есть гораздо больше, чем диабета и апоплексического удара).

...Всю сознательную свою жизнь он отдавал себе отчет, что существует в хлеву. Его предки влачили существование там же. Однако в дедовские времена тотальной защитой от свиного рыла масс был гигантский Кабан. Один! Кабан — но один. И деды — тому Кабану — кто подневольно, а кто и в охотку, прислуживали. Потому что сносить одного Кабана легче, чем миллионы свиных рыл. Как там у Шварца? — лучшая защита от всех драконов — иметь одного, своего собственного...

А как прокормиться сейчас?

«Та-ри-рам... па... — нервно исполнил Жора фрагмент какой-то заразной музычки. — Та-ри-рам... па...»

Сегодняшнее кропание гороскопов сделалось Жоре резко влом. Собственный стародавний рассказ совершенно выбил его из колеи. Словно патологоанатомическое вскрытие трупа, «вскрытие» рукописи грубо предъявило Жориным очам очаги тяжкого поражения. Он ясно видел такие места в текстовых тканях, где честно пытался победить недуг — и не мог, потому что недуг, т. е. талант, брал верх. А были и другие очаги — там, где в тканях текста побеждало вполне здоровое начало — лажа, лень, лабуда...

Продолжая курить и с непривычки заходясь в кашле, Жора снова втиснул себя в кресло возле письменного стола. Погасил сигарету и взялся нащелкивать рекламный текст для глянцевого мужского журнала «САМЫЙ»:

«*Робертс* (длина 15 см, диаметр 3,8 см) — самый маленький фаллос в коллекции Лорри. Подойдет тем, кто только начал свой путь в познании эротической чувственности и не торопит события. *Робертс* прямолинеен и прост, с такими всегда легко начинать...»

Взгляд Жоры упал на лежащую рядом газету. Занудливый, вполне ограниченный оратор, считающий себя «прогрессивным, честным», давал наконец свое интеллигентское благословение гламуру и глянцу:

«Если гламур и глянец способны преобразовать агрессивную энергию в энергию, направленную на выбор потребления, — да ради бога».

«А потребление — это не агрессия, осел ты многоученый? — устало фыркнул про себя Жора. — А чего ради тогда агрессивничаем-то? Не ради того разве, чтобы в лохань свою обильней и слаще жратвы наваливать?»

Он вдруг почувствовал, что ужасно хочет читать свой текст дальше. Не тот, про *Робертса*, а тот, который он изрядно забыл и воспринимал сейчас как чужой:

«Не получив детальных разъяснений (наниматель, назвав себя Эдгаром Смогом, сказал только, что речь идет о театральной постановке) и подписав договоренность, что вернется через неделю, Рената вылетела с Андреем в Эдинбург.

Уже в самолете она поняла, что необходимость в ней как переводчице была сильно преувеличена: если называть вещи своими именами, то как переводчица она не была нужна Андрею вообще. Он свободно изъяснялся по-испански и по-английски (на Эдинбургский фестиваль, из круиза по Смокве-державе, летело несколько европейских джазовых групп) — там же, в самолете, Андрей, засмеявшись, проговорился, что в свое время прослушал курс по современному изобразительному искусству в Оксфорде и Барселоне — да и какие языковые посредники нужны телеоператору, лет десять снимавшему в "горячих точках"?

И, поняв, что про переводчицу Андрей сочинил, Рената испытала сильнейший взрыв счастья — ей показалось, будто некий исполин, размером в гору, немилосердно вышвырнул ее из пращи — и вот она уже рассекает хрустальную, залитую солнцем тропосферу — вперед и вверх!

...Сквозь сизоватый, прозрачный, как флейта, воздух в иллюминаторе была видна живая кожа Земли. Она состояла из разноцветных лоскутов, будто замшевая торба вагантов. Нет, скорее она походила на quilt — стеганое лоскутное одеяло, под которым так хорошо нежиться, особенно вдвоем! Там были разноразмерные, разнофигурные лоскуты цвета фисташек и цвета хаки, цвета охры — и цвета какао, цвета кофе со сливками, цвета персиков, цвета абрикосов — и того нежного розоватого цвета, какой бывает на спиле березы... Но вот постепенно все перекрыло смешение нежно-бурого с нежно-лиловым...

Внизу, на расстоянии десяти тысяч метров, красовались огромные плюшевые диваны — добродушные, словно слоны — диваны, уютно разношенные жизнями множества поколений...

— Пентландские холмы, — дружелюбно кивнул в сторону иллюминатора Андрей, наклонился к ней — словно для того, чтобы получше эти холмы рассмотреть, — и она почувствовала на своей щеке его губы.

Как прекрасно, что никто не узнал про это их приключение. Что розовый шотландский замок остался собственностью только их памяти: бесценного слитка жизни на двоих. Но если бы пересказать "своими словами" суть этого волшебства — какие слова, хотя бы отдаленно, могли бы сравниться с тем, что она увидела и прочувствовала?

Я ничего не видела. Я не видела никого, кроме Андрея. Я даже ничего не слышала... кроме разве что пения птиц. Шотландский акцент? Ну да, они говорят "гуд морнинг" – с "русским" ярким и грубым "р", совсем рязанским... или совсем испанским?.. Что еще? Знаменитый десерт "крэннэчэн"? Не помню... Где-то слышала: "крэннэчэн" – взбитые сливки, виски, хлопья геркулеса, пюре из ягод малины... Возможно... честное слово, не помню... Крабовый суп? паштет из копченой рыбы? печенье *shortbread* – и имбирные пряники? Что-то мы, конечно же, ели... не помню...

Комната Андрея называлась "*Margaret*", а моя – "*Josephine*". Они были расположены в одном коридоре. В замке все комнаты носили имена, притом женские, – в честь возлюбленных этого давно ушедшего художника...

В первую ночь, когда в стрельчатом окне моей комнаты появилось белое, как у Пьеро, лицо луны, я подумала: сейчас раздастся тихий стук в дверь... Потому что если не здесь, не в замке – то где же тогда? Где еще можно найти место, словно созданное для того, чтобы таинство слияния мужского и женского существа запомнилось обоим до конца жизни?

Но Андрей не пришел. Ни в эту ночь, ни в последующие. А в первую ночь я лежала до утра, глядя в потолок тринадцатого века, видя перед собой лицо и фигуру Андрея, из каждой своей точки так яростно излучающие сокрушительную мужскую силу... И только к утру догадалась: он прав. Нельзя средневековое волшебство превращать в гостиничный номер. Нельзя чувства, которым нет выражений в людских наречиях, затаскивать в формат мотеля. И еще я поняла: мне страшно повезло. Ведь я и мечтать не смела, что когда-нибудь встречу мужчину, готового и, главное, способного к долгому, самоотверженному и красивому ухаживанию.

...Они сидели в небольшом кабинете, украшенном черно-белыми и цветными фотографиями: дамы в кринолинах и париках, рыцари с мечами и шпагами, крупные планы резко загримированных лиц...

— Что я с ней делать буду? — состроив плачущее лицо, возопил режиссер. Он был тщедушен, немолод, похож на голодного суслика. — Кого вы мне привели?! Она же по сцене двух шагов пройти не умеет!

— Любезнейший, — прервал его Смог, — вы авторскую ремарку в начале пьесы читали?

— Разумеется!

— Нет, любезнейший, вы ее не читали. Или делали это невнимательно. Сейчас прочтете мне эту ремарку вслух. Рената Владимировна, где наш текст?

Рената протянула голодному суслику текст, и режиссер, по возрасту годящийся Эдгару Смогу в отцы, сопя и заикаясь от унижения, начал читать:

— Стиль этой пьесы исключает все, что напоминает "блестящее актерское исполнение" ("брио"). Автор хотел бы, чтобы актриса... Но, Эдгар Иванович...

— Никаких "но", — поморщившись оборвал Смог. — Продолжайте.

— Автор хотел бы, чтобы актриса производила впечатление человека, истекающего кровью, теряющего кровь при каждом движении, как раненое животное, и чтобы в конце пьесы комната казалась наполненной кровью...

— Во-о-от!.. — потер ладони Эдгар Иванович. — И чтобы была мне тут кровь. Кро-о-овь чтобы была мне тут, понимаете? Актриса, по моему скромному разумению, да и Кокто этого хотел, должна быть именно непрофессиональной. А ходить ей не надо. Ходить ей даже принципиально не надо! Она должна разговаривать по телефону — и лежать в постели. Я вам нашел настоящую француженку — маленькую, изящную, сексапильную — не то что эти палки с пергидролевой паклей на кумполе, эти швабры безгрудые из вашей труппы... — Он вдруг энергично, безо всякого стеснения, ковырнул в носу, что означало его готовность к ураганной атаке. — Достопочтенный Исаак Маркович! Мной уже вложены в эту постановку такие средства, что хватило бы на двадцать ваших жизней — по семьдесят пять лет каждая с достатком выше среднего...

— Но...

— И запомните: я не то что этот ваш академический балаган на корню сто раз куплю и продам, но и все, что под ним — на все мили и ярды вниз, вплоть до земного ядра! — он засмеялся, ослепляя противника отбеленными швейцарским дантистом резцами, клыками...

— Эдгар Иванович, я...

— "Я" — последняя буква в алфавите, достопочтенный Исаак Маркович, — назидательно сказал Смог. И, в знак примирения, добавил "по-свойски", с нарочитой одесской интонацией: — Уже хватит-таки крутить мине яйца — я вас умоляю!..»

Работать Жора в этот день больше не был способен. Но и читать не мог тоже. Было больно — словно саднил давно не существующий орган. Когда-то он кропал этот текст целенаправленно — в качестве разбавленной сахарком кровицы для мечтательно мечтающих пиявок, присосавшихся к экранам телеящиков. Это были, в основном, домохозяйки по рождению. Именно домохозяйки — хотя, имея недоумков-мужей, вынуждены были вкалывать на галерах, всё равно на каких. Про любofff им даже помечтать было страшно, поскольку ни на что не оставалось сил — и вот с целью как-то расширить свой убогий, трусливый амурный опыт (сводившийся к тем же обывательским совокуплениям, только с бытовыми препятствиями, на стороне) они становились главными клиентками («целевым контингентом») Жоры Жирняго.

А сейчас этот текст самому Жоре казался шедевром! Как это сказано у Олеши? — вяло ворочалось в Жорином черепе. — *Макаем губы в коричневые жижи...* Бррр... Это — о сидении с такими же хитрожопыми, как я, по всяким негодяйским ресторанам... бефстроганов по-берлински... телячьи почки в грибном соусе... медальоны из печени по-брюссельски... ох, мамочка...

Чтобы сбросить дурное возбуждение — пусто-порожнее возбуждение от недочитанного расска-за — и хоть немного отвлечься от вновь нахлынув-шего желания жрать, он сел за киборд — и впер-вые за весь день напечатал наконец-то, что хотел:

Латекс-ботокс-силикон,
Кто без баксов — выйди вон!

Чем бежать с утра на митинг,
Сделай, бэби, фэйса лифтинг!

Бумер-букер-колбаса,
Тухлая капуста!
Съела дилдо без хвоста
И сказала: вкусно!

Без прокладок,
Без кондомов,
Без тампонов мне не жить!
Памперс-мамперс,
Мамперс-памперс,
Тампакс — ты, тебе водить!

— 21 —

Агрессивная жизнь текстов:
день первый

Он проснулся на другой день уже поздно, по-сле тягостных сновидений, но сам сон подкрепил его. Настроение было, правда, желчное, раздражи-тельное. Он с ненавистью оглядел свой кабинет.

ЖОРА ЖИРНЯГО

Со вчерашнего дня Жора оставался в напряженном, мелочно-злобном состоянии, похожем на ипохондрию. Собственный рассказ совершенно выбил его из колеи. Ни в какие издания («грёбаные») Жора в тот день не пошел. Он решил успокоить себя чтением — но несколько иного рода.

То были его личные дневники, а в них — записи самых разных периодов жизни. Сказать по чести, одни лишь свои дневники Жора в охотку и читал. Правда, и от дневников было больновато, но то была боль особенная: вот вроде прищемил палец — но прищемил именно потому, чтобы плотней закрыть дверь — и остаться наконец одному.

В дневниках были его собственные записи и цитаты из других авторов, имена которых он никогда не сохранял, считая, что раз цитата пришлась ему впору, то он с автором составляет неразъемный сообщающийся организм.

Спав этой ночью не раздеваясь, он встал с дивана в помятой и потной одежде, жадно съел на кухне все то, что жена наготовила на неделю, — укусив себя в спешке сначала за палец — а затем изнутри, за щеку; первые минуты жрал бездумно, даже не чувствуя вкуса; вкус почувствовал позже, только с отрыжкой... Затем, уже не торопясь, вычистил все запасы также и из буфета — до крошки, до капли, затем уничтожил заначку жены, опустошив две большие жестяные банки французской ветчины, после чего вернулся в кабинет, вытянул из книжного шкафа пару тетрадок в черных и коричневых коленкоровых переплетах, повалился слоном на диван и начал — вразброс — пожирать текст:

«Я человек не сентиментальный, — сказал Констанций, — но я эту стену люблю. Только подумай: миля за милей, от снегов до пустынь окружает она весь цивилизованный мир. По одну ее сторону — спокойствие, благопристойность, закон, алтари богов, прилежный труд, процветающие искусства, порядок; по другую — леса и болота, дикие звери и дикие племена, словно стаи волков с их непонятной тарабарщиной».

«В Смокве-державе что-то происходит, хотя, конечно, ничего не меняется. Я наконец-то сформулировал метафорически свое отношение к смоквенской литературе... Представьте себе, что некий юноша влюбился в красивую, развратную, взрослую женщину, а она им пренебрегла, и тогда он уехал с горя в Америку, женился, родил детей, "стал человеком". И вдруг он узнает через десять лет, что эта женщина замуж так и не вышла и, более того, проявляет к нему интерес и готова встретиться. И вот он, с одной стороны, взволнован, а с другой — думает: ты уже и десять лет назад была не очень молодая, и к тому же неверная и бесчестная, а теперь, когда тебе ампутировали ногу, вставили железные зубы и так далее, ты меня и совсем не должна интересовать. Но какое-то волнение и беспокойство остается... Хотя и жениться, и даже просто "в койку" уже поздно. Вот так».

«Почему все эти смоквоградские храмы так разительно похожи на многоярусные гаражи?»

«На самом же деле большинство смоквенского простонародья было прежде всего суеверно и потому декоративно набожно, ходило в церковь задабривать Бога, а не молиться ему. Идеи христианской доброты и всепрощения были совершенно чужды и несвойственны основным массам смоквенских смердов, совершившим кровавую резню и пошедшим за большевиками. У смоквитян отношение к Богу и Христу всегда было утилитарно, и не более того. Для них за православной символикой постоянно виделись Перун и Велес».

«...Или у Блока же: "Опять, как в годы золотые, // Две стертых треплются шлеи". Главное русское слово — *опять*».

«Радость полная, когда участвуешь в жизни собственного класса. Всем заправляет мой класс: и театром, и столицей, и модами, и думами, и идеологически, и материально. Ведь в конце концов надо признаться: я — мелкий буржуа, который мечтал всю жизнь стать крупным хозяином. Ужасно, но это так. В крови, в клетках мозга».

«...Чаще всего это были огрызки колбасы, встречались также селедочные головы с блестящими щитками щек, создававшими впечатление, что эти головы в пожарных касках».

«...Наличествовали также салаты из картошки с соленым огурцом, из крабов, полосатых, как тигры, из мяса с яйцом. Дешевле всего был пирожок — довольно длинный, заскорузлый жареный пирожок с мясным фаршем. Не взять ли? И я брал пирожок, который оказывался давно застывшим и фарш которого шуршал во рту».

«...над рачьей шелухой, над промокшими папиросными коробками».

«...я ем животных, одеваюсь в их кожу и мех. И это ужасно. Ужасно, что каждый мой вздох — это тоже гибель сотни животных, каждый толчок крови. Я ем животных просто моей кровью — тем, что живу. И меня кто-то ест. Жизнь — поедание».

«...все государства якобы сторонятся и дают ей дорогу... А зачем сториться и давать дорогу? Что за ерунда? Гораздо лучше быть Копенгагеном, а не Смоквой, которой "дают дорогу"».

«Я ел вчера грушу того типа, который называется дюшес. Сперва я ел, инстинктивно готовый к восприятию того вкуса и запаха, который я забыл от прошлого сезона, но который помимо меня должен был вспомниться, — и вдруг я понял, что ем не плод, приспособленный для еды с наслаждением, а некую, увеличившуюся в размерах, несъедобную — не то завязь, не то почку, вкус которой нравится некоторым породам птиц и насекомых».

«Если я считаю, что перед едой следует регулярно мыть руки — так что же, значит, я уже "западник"?!»

Последняя фраза ввергла Жору в полный сплин. Ему было бы легче, если бы *смоквенская хандра* напрямую погрузила бы его в кромешный мрак. Но «хандра» (назовем это состояние упрощенно так) шулерски, изощренно — что она сделала? — подменила освещение. Кажется, с утра было солнце. Однако Жориным глазам — после прочтения дневника — предстал такой день, который может случиться, собственно говоря, в любое время года, — серый, похожий на ноябрьский — наждачный, бесприютный, безысходный и словно мертворожденный.

И он понял, что во время чтения дневника хотел читать свой забракованный, саднящий его

МАРИНА ПАЛЕЙ

обросшее жиром сердце, рассказ. Именно рассказ он и хотел читать, а дневником себя просто обманывал. Чёрт! В психиатрии такое называется... Да как бы это ни называлось! Его обуял голод чтения — рыча и воя, набросился он на рукопись, и вот глаза его взялись жадно пожирать абзац за абзацем:

«И начались репетиции. Одноактная пьеса Кокто "Человеческий голос", разумеется, не была новинкой ни для Смоквы-града, ни для других крупных смоквенских городов. Но Эдгар Смог постоянно повторял, что у него вызрела "совершенно уникальная, революционная концепция". В чем именно заключалась эта концепция, не знал никто. А интересно было б узнать! Брошенная женщина последний раз говорит по телефону с любимым — вот фабульный слой пьесы — из чего конкретно тут может зародиться "революция"? Тем более сам автор дал указания, что героиня — жертва, обыкновенная женщина, влюбленная без памяти — и ничего больше.

Режиссер, под давлением труппы и дирекции (Смог предлагал выгодные условия для всего театра), под стимулирующий плач и стон собственной многодетной семьи, сдался. Однако первая неделя репетиций, начавшаяся десятого октября, заключалась, пожалуй, лишь в том, что бедный Исаак Маркович, хватаясь попеременно то за сердце, то за голову, бегал по сцене и, даже не глядя на Ренату, стенал:

— Вы не в материале! Вы абсолютно не в материале! У вас нет никаких подпорок! Никаких подпорок, хоть застрелись! Скажите, вас когда-нибудь бросали мужчины?

— Ну да, — смущенно отвечала Рената. — Много раз.

— Значит, не так бросали! И, главное, — не те! Господи боже мой, ну почему я не ушел на пенсию, когда мне добром предлагали!!.

Составляя ему естественный контраст, Эдгар Смог, заглядывая иногда на репетиции, то есть заглядываясь на Ренату (в такие моменты режиссер почитал за счастье ретироваться), азартно кричал по ходу ее текста из темноты зала:

— Аншлаг, Ната!!. Хухxx!.. Полный аншлаг!!.

Рената не знала, кому и верить. Актерского таланта она в себе не чувствовала, хотя, как и всякая женщина, любила иногда "поиграть". Однако она надеялась, что режиссер из нее все-таки что-нибудь "вытащит" — потому что ей хотелось солидно подзаработать и, главное, — конечно, это и было главным — ей позарез надо было поразить Андрея.

Хуже всего было то, что в это время он как раз уехал. Заскочив попрощаться через три дня после их прилета из Шотландии, он успел только сказать, что теперь вернется не раньше, чем через полмесяца. Это был удар током.

— А ты... А вы... случайно не в горячую точку? — Рената не умела скрыть страх. — Только не ври! не врите, пожалуйста!

— Ну вот, будем на "ты", классно!.. — Андрей самозабвенно, по-мальчишески улыбнулся и вдруг приобнял ее...

Она почувствовала запах его тела — скорее, излучение, чем запах — излучение, имеющее свой язык и внятно на этом языке говорящее: "Вот мужчина, мужик. Твой мужчина. Твой мужик. Это мужчина. Он твой".

То были простые и ясные слова, набранные отчетливым, крупным шрифтом в занебесном разговорнике — видимо, для просвещения занебесных путешественников — то есть получивших зрение душ.

— Нет, я не в горячую точку, — вновь услыхала она голос Андрея. — Помнишь, я тебе говорил о проекте "Вермонтская осень"? Я хочу заснять вермонтские лиственные ковры — это такая красота! такая щедрая пестрота! словно полотна пуанталистов!.. Потом я эти фотографии смонтирую, увеличу до нужного размера — и занавешу ими стены в кое-каких кафе... А насчет горячих точек... Знаешь, они ведь существуют, не только там, где стреляют... Они как раз могут образовываться в любом месте пространства — там, где ничего подобного и не ждешь...

ЖОРА ЖИРНЯГО

Когда наступила вторая неделя репетиций, открылся наконец "революционный замысел" Эдгара Смога. Сначала этот "замысел", по частям, выплыл — на плечах крякающих под тяжестью добрых молодцев — из громадного фургона «Автоперевозки» — затем вплыл в том же порядке на пустую сцену.

После соединения всех частей — замысел оказался гигантской кроватью. Она была размером с поле для гольфа. Точеные ноги этого мега-ложа, его боковые части, а также изножье и изголовье — были выполнены из слоновой кости, все крепления — из серебра, узоры — из золота (ну — или из позолоченного серебра), помпезно-необъятный балдахин рубинового цвета был бархатным, таким же было и покрывало. Белье, цвета безоблачных голливудских небес, было, разумеется, шелковым. В целом кровать напоминала величественный корабль, словно из "Амаркорда", готовый вот-вот сойти со стапелей и пуститься в бурное плаванье — об это исполинское ложе хотелось разбить исполинскую бутылку с шампанским... Всякие "мелочи" — лампы, бра, торшер, зеркало — всё также сверкало златом-серебром, усиливая величие "революционной" кровати.

— Полный аншлаг... — обессиленный от восхищения, тихо проговорил Эдгар Смог. Словно завороженный (и несколько эту завороженность педалируя), он все смотрел и смотрел из зала на свое детище...

— Эдгар Иванович, — попробовал было возразить убитый режиссер (словно эта исполинская койка обрушилась ему прямо на голову), — у Кокто ведь ясно написано: "Сценическое пространство, ограниченное рамой из нарисованных красных драпировок, представляет собой неровный угол женской спальни, это темная комната в синеватых тонах; налево видна кровать в беспорядке..."

— Исаак Маркович! — Смог выразительно посмотрел на Ренату. — У Кокто конкретные размеры постели не указываются, но, смею вас уверить, подразумеваются. Постель — вот главная героиня пьесы! Постель! Это моя личная, выстраданная концепция, и я на ней стою, сижу, лежу, что хотите. Как там у Есенина? — "Весь мир — постель, все люди — бляди!.."

— У Есенина — "Весь мир — бардак", — мстительно уточнил режиссер. — А про кровать — "Наша жизнь — простыня и кровать, наша жизнь — поцелуй — и в омут..."

— Во-во, — удовлетворенно хмыкнул Эдгар Иванович, — и я про то же...

После того, как, перекрыв всю сцену, на ней воцарилась кровать, наступил недельный перерыв репетиций: бедный Исаак Маркович взял больничный. Рената получила от Андрея несколько электронных открыток с чудесной музыкой, но даже не могла им по-настоящему радоваться — не находя выхода, она мучительно размышляла о своем позоре — вообще обо всей этой истории, в которую так глупо влипла.

...Некий немецкий ученый, теоретик военных битв, вывел закон, который, вкратце, можно сформулировать следующим образом: "События ускоряются к развязке".

Так и вышло. К концу второй недели репетиций, в пятницу, когда режиссер ничего уже не говорил, а только тихо стонал, Рената, увидев в зале Эдгара, неожиданно для себя обрадовалась. В конце концов, он был единственный, кто ее поддерживал, кто в нее здесь верил — и уж всяко не изгалялся над ней, как этот, похожий на облезлого грызуна, Исаак Маркович. Поэтому она даже с удовольствием приняла приглашение Эдгара в китайский ресторан — и там, пытаясь облегчить перегруженное отчаяньем сердце, попросту говоря, перепила.

Причем крепко.

Эдгар Смог, глядя на ее подростковое опьянение (Рената не любила и не умела пить), умиленно смеялся.

Что помнит она дальше? Себя — совершенно непонятно кем и когда раздетую, свое чужое голое тело, дикую жажду, сухой, наждачный язык, неудобную, вонючую тушу Эдгара, свой ритмично скрипящий диван, крутящийся волчком потолок, тошноту, мучительные позывы рвоты, голос Эдгара: "Ух, а ножки-то у тебя — ну просто африканские статуэточки!", звонок в дверь, свои чужие

слова (словно издалека): "От...крой, это, на-
вер...ное, сан...тех...ник..." — голос Эдгара из прихожей: "А цветы зачем?" — голос Андрея: "Сегодня месяц, как я встретил Ренату"».

— 22 —

Агрессивная жизнь текстов: день второй

Почти всё время, пока читал Жора свой зло-
получный рассказ, лицо его было мокро от слез;
когда он бросил читать на словах «Сегодня месяц,
как я встретил Ренату», оно было бледно, иско-
веркано судорогой, и тяжелая, желчная, злая улыб-
ка змеилась по его губам. Он прилег головой на
свою пухлую подушку и думал, долго думал.

Так пролежал он длительно. Случалось, что
он как будто просыпался — и в эти минуты замечал, что уже давно ночь, а встать ему не приходи-
ло в голову. Наконец он заметил, что уже светло
по-дневному. Он лежал на диване навзничь, еще
остолбенелый от недавнего забытья. До него резко доносились страшные, отчаянные вопли с
улиц, которые, впрочем, он каждую ночь выслу-
шивал под своим окном, в третьем часу. Они-то и
разбудили его теперь. «А! вот уж и из распивоч-
ных пьяные выходят, — подумал он, — третий
час. — И вдруг вскочил, точно его сорвал кто с дивана. — Как! Третий уже час!» Он сел на диване, —

и тут всё припомнил! Вдруг, в один миг всё припомнил!

Он вспомнил, как вчера читал свой рассказ, который ранил его заплывшее жиром сердце, и как он заставил себя прекратить это чтение. Но сейчас он понял, что бесполезно бороться с собой — он прочтет рассказ до конца — рассказ, который каждой своей буквой напоминал ему самое начало пагубного пути — сначала не вполне успешного — а потом очень, очень даже светлого — о-го-го! Наконец-то он, Жора, превратился в толстожопого жука-сановника — такого, которыми кишмя кишит-жужжит первопрестольная Смоква. И превращение это необратимо. О, Замза, Грегор Замза! Так что же теперь, вешаться, что ли? Не выдержит ни одна веревка.

Лучше сначала закусить... На кухне тарахтели какие-то университетские кикиморы — подружки жены. Чёрт! Он вихрем смел содержимое кладовки — сырые колкие макароны... шуршащие во рту крупы... холодные банки плотно (о, черт!) закатанных солений — некоторые он разгрызал, некоторые — целиком заглатывал... Остаток, смакуя, — рассасывал под языком... Потом выполз на балкон и быстро-быстро обобрал все растущие там помидоры, запихивая в рот по нескольку веток сразу, давясь — и заливая красным, как кровь, соком насквозь пропотевшую шелковую рубашку...

Понуро, как всегда у него бывало после особо яростных приступов булимии, побрел Жора назад, в кабинет... Хотелось немного себя наказать — дочитать рассказ не сразу. И он, оттягивая желаемое, снова уткнулся в дневник:

«Ненавижу свинство. Никакая хренобень ("миссия избранничества", "прозрачно выраженная воля Небес", "чем глубже в говно — тем выше к звездам") меня сроду не гипнотизировала. Другое дело, что для меня понятие "смоквенство" понятию "свинство" не тождественно — и, разумеется, им не исчерпывается. Те, которые меня обливают грязью за то, что я ненавижу свинство (а втайне — именно за то, что якобы смоквенство) — невольно выдают помойные кошмары своего подсознания: это как раз для них смоквенство тождественно свинству — и свинством полностью исчерпывается».

(«Господи, какого же это года? — мысленно взвыл Жора. — Ведь это был совсем другой человек! Или это и впрямь не мои слова?!»)

«Почему я не отрезаю свой мерзкий живот? В смысле — не иду на жироотсос? Или: почему не даю эскулапам отрезать себе девять десятых желудка — чтобы питаться, как божия птичка? Ведь при моих-то связях, финансах — казалось бы?.. Потому что эта зараза, жор, сидит в мозгу. Не выскребать же из черепа — мозг! Даже глубже сидит —

228

в самой комбинации аминокислот, земля пухом батюшке...

Кстати — о том, чтобы вырезать, отрезать. Бородатый анекдот. Один еврей — другому (торгующему на рынке): "Абрам, ты же две капли — вылитый Карл Маркс! Это же опасно! Почему ты не отрежешь себе бороду, Абрам?" Ответ торговца капустой и редькой: "Бороду — ладно. А мысли? Мысли свои — куда я дену?!"»

«То, что Саддам Хусейн ликом своим схож с Марксом, — общее место. Но недавно я заметил, как разительно похож Хусейн на Солженицына. И это притом что каждый из данной троицы — двойник Фиделя Кастро и Салтыкова-Щедрина...

Бесовщина. "Соборное" копошение на грануле грязи. Перед тем, как вот-вот опустится занавес».

«Всемогущий Грегор! Да не Замза, не Замза! Грегор Иоганн Мендель! Не дай рехнуться, не дай!»

«Моя родина. Раньше здесь люди врали себе бессознательно. Сейчас следующая фаза: врут сами себе осознанно. Высшая и завершающая фаза агонии».

«Все, что здесь происходит, — типично для этой местности. То есть не только сам хаос традиционен, но и внутри этой всё нарастающей энтропии просматривается незыблемая традиция».

«Смоквенский хаос монотонен и невыразимо скучен. Кажется, что всю свою жизнь читаешь здесь одно и то же слово, причем из трех букв».

«Достаточно взглянуть на бытовые привычки смоквенских интеллигентов, чтобы навсегда лишиться любых иллюзий насчет возрождения родины».

«Странно: бывает, спросишь у человека дорогу, и он отвечает. Притом совершенно спокойно, приветливо, обстоятельно. А, казалось бы, должен загрызть».

«...распустят облезлые свои хвосты, ощутят себя "социально значимыми", изобразят, себе же самим мозги запудривая, "востребованность" (бррр!), "соль и совесть нации" — и ну трендеть!.. Потрендят, подвыпустят пары... А Смоква-царство знай себе летит камнем в тартарары по своим законам. Или по своим беззаконностям — всё равно — кувырком, в тартарары».

«...и тогда я спросил его, почему у себя в Париже, имея такую прекрасную квартиру, он не устроит для себя спутниковое телевидение? В смысле — чтобы смотреть иногда смоквоградские передачи? Он взглянул на меня с неподдельным ужасом. Возникла неловкая пауза. Затем он воскликнул: "Эту выгребную яму?! У меня в гостиной?!"»

ЖОРА ЖИРНЯГО

«...Мне всегда было странно, особенно сумрачным зимним утром, — что в Петрославле еще ходят трамваи. Казалось бы, по всем законам — физического, экономического, политического, метапсихического свойства — ходить они здесь больше не могут».

«Участвую, как и все, в истреблении мысли».

Хва!!! — возопило нутро Жоры. — Дочитывай свой рассказец и беги в «ПЕНОПОЛИУРЕТАН». Это чтение — что дневников, что рассказца — ничего не изменит в твоем существовании. Правда, считается, что любой текст агрессивен (тоталитарен). Так это же не для тех, кто уже давно — давным-давно — существует под белым флагом... Так ведь? Поэтому читай что угодно — just for fun! Хавай! Хавай! Танцуют все!..

«— Вы полностью погружены в материал! — топал маленькими злыми ногами Исаак Маркович. — По уши, по макушку, по... по... я не знаю по что! Так нельзя!!

— Сначала вы говорили, что я — "не в материале", — бесцветным голосом откликалась Рената, — теперь, что "слишком в материале"... Где же я должна быть? (А про себя: "Не хочу быть нигде. Не хочу быть".)

— Вы должны быть н а д материалом, понимаете, девочка? Над! Пропустить его через себя — и взлететь... Ладно. Дайте-ка мне реплику — как там? — *да, да, конечно, это глупо...*

— Да, да, конечно, глупо! — Рената безвольно покорилась. Приложила телефонную трубку к уху. — Труднее всего сейчас повесить трубку, снова остаться одной... Алло!.. Я подумала, что нас разъединили... Ты такой добрый, милый... Бедный мой мальчик, которому я сделала так больно...

— Подождите, Рената Владимировна! Подождите! Вы же начинаете плакать не здесь, а на три реплики позже... И не так интенсивно... Рената! Рената, что с вами?! Рената! Боже мой, с ней истерика! Воды!!. Воды!!.

...Дверь, которую тебе не открывают. Телефонная трубка, которую не берут. Автоответчик, который голосом Андрея говорит: "Оставьте, пожалуйста, ваше сообщение". Один раз, видимо совсем случайно, Андрей взял трубку сам. Но его голос был уже не отличим от голоса автоответчика.

В один из таких дней — без света и воздуха — ее неожиданно поразило, что она, внутри себя, в этом безостановочном, отчаянном разговоре с Андреем, произносит реплики пьесы. Точней — это были те же самые интонации, тот же ритм. Посмертная маска, снятая с изуродованного страданием, уже не узнаваемого, потерявшего индивидуальность лица. На том конце провода тоже молчали.

В этой жуткой тишине, где-то там, где был размещен ее мозг, в одну из бессонных ночей, сама собой, как на тупом автомате, вдруг включилась вошедшая в кровь реплика: "...в старину люди в таких случаях встречались, могли терять голову, забыть обещания, начать всё сначала, снова завладеть любимым, прижаться к нему, вцепиться в него. Один взгляд мог всё изменить. Но теперь, во времена телефонов, то, что кончено, — кончено..."

Услышав внутри себя эту реплику, она снова не смогла сдержать рыданий...

"Во времена телефонов"?! "На том конце провода"?!

Она посылала свои слепые, бессильные рыданья на его мобильный. Потому что у него был только мобильный — притом, разумеется, с определителем номера, с блокировкой нежелательных номеров...

Молчащий человек находился прямо под ней, в параллельном мире, на расстоянии трех метров десяти сантиметров.

Но соединение-разобщение этого мужчины с этой женщиной осуществлялось не руками, не глазами, не губами — даже не шнуром, который можно было бы потрогать — а космическим спутником, отстраненно парящим в такой безнадежной, беспросветно-черной дали, где уже ничего не имеет значения — в пространстве, напрочь не соразмерном человеку.

...А через неделю, специально не воспользовавшись лифтом, чтобы хотя бы пройти мимо его дверей, она увидела чужих людей — мужа, жену, сына-подростка, выходящих из его квартиры. Нет, Андрей Сергеевич здесь больше не живет. Да, сдал нам свою квартиру. Нет, мы не знаем, куда он уехал. Спасибо. Пожалуйста.

Репетиции продолжались. Стоял уже ноябрь — самое отвратительное время года — наждачное, кладбищенское. Во время одной из репетиций, когда бессмысленное напряжение бессмысленной работы уже достигло по-настоящему "горячей точки", явился подвыпивший Эдгар, спустился в оркестровую яму и стал наблюдать за экзекуцией в позиции снизу.

Кровать, как и прежде, царила на сцене. На ней, полуобнаженная ("Полный аншлаг!.."), лежала Рената; вокруг, то и дело подскакивая, бегал режиссер и рвал на себе редкие, уже совсем редкие волосы.

— Нату-у-уль, — импресарио, с трудом имитируя деловитость, выпустил пивной воздух. — Поди-ка сюда, чё скажу... Сделаю важное замечание...

Рената механически, словно гальванизируемый труп, спрыгнула с высоченной кровати. "Солдатиком". Механически, слепо подошла к авансцене. И тут Эдгар, жадно выбросив вперед обе руки и уродливо преувеличивая свою неустойчивость, с силой схватил ее за лодыжку. Вырвавшись, Рената согнула ногу в колене, резко разогнула... И действительно вмазала бы каблуком этому "мененджеру" прямо в лоб — но, несмотря на немалый объем выпитого полчаса назад вина "Cru Bourgeois", Смог ловко увернулся — а Рената, потеряв равновесие и бессильно взмахнув руками — рухнула в оркестровую яму.

— А у нас тут, миленькая вы моя, перелом большой и малой берцовых костей... Притом со зна-чи-и-ительным смещением, — держа перед лицом Ренаты еще влажный рентгеновский снимок, наработанно вздохнул врач. — Нужна операция...

...Она шла с Андреем по осеннему лесу. Они крепко держались за руки — так крепко, что на этом свете разъять их было уже невозможно. Пьяный запах прели, насквозь влажного мха, грибов, крепкое — разлитое между корнями сосен — красное и золотое вино листвы, головокружение вальса...

— Знаешь, — сказала Рената, — у меня в квартире, прямо над твоей головой, образовалась горячая точка... Я не могу там жить... Не могу жить нигде...

Вместо ответа Андрей неожиданно прижал ее к себе, скрипнула его бурая кожаная куртка, нагнулся — и бережно, крепко, отметая любые вопросы, поцеловал в губы.

...Она увидела белый потолок, металл приборов, боль снова пронзила все ее существо.

— А вот сейчас мы проснё-о-омся... — фальшиво пропел чужой голос.

И — хлопки-хлопочки по щекам.

— Не хочу, нет...

— Чего мы не хотим?..

— Просыпаться не хочу... Нет, нет!..

— Надо, девочка. Вот через пару часиков наркоз пройдет совсем, и тогда...

— Не хочу!.. — зарыдала Рената, швыряя голову по подушке. — Дайте мне наркоз!.. дайте наркоз!..

...Конечно, помогала родственница из квартиры напротив. Еда, питье, всё такое... А зачем Ренате "поддерживать жизнь"? Кто пострадает, если она эту жизнь поддерживать больше не будет? "Мененджер", как ей было сообщено, "пролив много крови", нашел новую исполнительницу. (Чьей именно крови пролив? — хотелось уточнить Ренате.)

То есть дырку в театре вроде бы залатали. А как залатать дыру в своей большой, голой, гибельно уязвимой душе — дыру, словно от пушечного ядра, — отверстие, через которое — препятствуй тому или нет — неостановимо вытекает жизнь? Надо ли залатывать? Пусть бы себе выхлестнула из вен — вон, без остатка, вся эта мерзейшая алхимия, которая держит ее, Ренату, на пыточном станке!

ЖОРА ЖИРНЯГО

Рената, как могла, пыталась отвлечь себя переводами. Да, она переводчик — переводчик и никто другой, причем высокого класса... Она любит свое дело. Это дело ее спасает. Почему случилась вся эта история с театром? "Не надо подходить к чужим столам — и отзываться, даже если подзывают", — когда-то пел знаменитый бард... Для чего же все это случилось? Может быть, для того, — думала Рената, — чтобы еще четче уяснить, что есть чужое и что свое. Кто есть чужой — и кто свой...

Свой... Рената в который раз раскладывает на столе шотландские фотографии — словно карты пасьянса... Пасьянса, который так редко сходится — только раз в жизни... Вот Андрей стоит возле какого-то дерева — в национальной шотландской твидовой куртке и берете с помпоном... (Ох и трудно же было тогда упросить его, чтоб напялил всё это!) Андрей смущенно улыбается... Вот они вместе сидят, в обнимку, на вересковой пустоши... (Снимал случайный велосипедист...) Вот Андрей в своей куртке — и красно-зеленом килте — бог знает какого из кланов... Вот она: смотрит в бинокль на сиреневые холмы... Вот Андрей, стоя возле ворот замка, держит в руках цветок чертополоха — эмблему Шотландии... Вот они оба, сидя в саду замка, возле колодца, слушают мелодию волынки, которую наигрывает для них житель соседней деревни... Хватит!

Легко приказать. Память, как фокусник из цилиндра, знай себе выдергивает — то цитатку из проклятущей пьесы ("Телефон — это орудие пытки, которое не оставляет следов..."), то видение голубиной почты, которую Ренате посчастливилось встретить в Шотландии.

...Они спустились тогда с Андреем в пещеру под замком — и там наследник всех этих богатств осветил им массивным фонарем несколько рядов ровных четырехугольных ниш. Эти небольшие ниши были вырублены прямо в стенах пещеры — они напоминали абонентские ящики почтового отделения... Только дверок там не было... Зато в прорубленное окошко пещеры была прочно вделана решетка — она словно это круглое, довольно большое отверстие расчерчивала на маленькие квадраты — чтобы внутрь могли проникать лишь голубиные самки ...Еще столетие назад они сновали с посланиями, привязанными к лапкам, туда и сюда: *туда* — где их прикармливали, *сюда* — где они высиживали птенцов... Порядок жизни был целостен, не нарушен, можно было доверить свою жизнь естественному ходу вещей... А теперь?!.. Позвони мне, я молю тебя всем моим сердцем, всей моей жизнью и смертью, пусть я умру сразу же после твоего звонка, позвони!!!

Зазвонил телефон.

Руки Ренаты обратились в лед... Она не сразу смогла снять трубку.

ЖОРА ЖИРНЯГО

— Как там наша бесценная ножка?! — голос Смога был мерзким и жирным, как крыса. Громадная. Канализационная. С окровавленном мордой.

— Гипс уже сняли, — сказал за Ренату кто-то другой.

— Ладно, цыпа, — сказал Эдгар, — мне некогда. Я полагаю, ты знаешь, что с тебя причитается часть неустойки? Несмотря на твою производственную травму?

— Но...

— Ты контракт, прежде чем подписать, читала?

— Нет, — презирая себя, выдавила Рената (до контракта ли тогда ей было?!).

— А зря. Ты почитай, почитай, — беззлобно, почти миролюбиво сказал Смог. — Ровно через неделю, в это же время, я заскочу — проверю, правильно ли ты поняла...

— У меня все равно нет таких денег, — устало сказала Рената. (Надо бы положить трубку... Да что толку?)

— А мы люди простые, флэксибл. Не брезгуем и натурой. Ясненько, цыпа?

Трубка выпала из Ренатиной руки, но даже с пола мерзкий голос, извиваясь, как в срамной пляске, продолжал:

— Жалко, что гипс сняли... Я еще никогда не имел девушку в гипсе... Это ж как юная пионерка с горном (он сказал: "пионэрка") в Парке культуры и отдыха... В юбочке такой коротенькой, а?

Ух, — причмокнул, — полагаю, упоительно... Пигмалионизм, твою мать... только в книжке читал, мммм... — Было слышно, как Смог с наслажденьем закуривает. — Должок буду брать по частям... Ду ю андерстэнд, бэби?..

Сначала Рената ошиблась номером и попала, видимо, в кооператив целителей и ворожей. Телефон долго не брали, гудки были какие-то облезло-кошачьи — придушенные, сиплые. Потом гудки оборвались, и трубка невольно зачерпнула конец разговора: "...я вам говорю, что это не беременность, а глисты. Возьмите очки, женщина, и посмотрите на свой стул".

— Здра... здравствуйте... — выдохнула Рената.

— В постель не ложим, — приступила к делу трубка.

Рената пришла в полное замешательство.

— Да я, собственно... — сказала она, — я...

— Девушка, вы меня слышите? Приходить он к вам будет — сделаем сто процентов, а в постель мы не ложим.

— Да я не за этим!.. — в отчаянье выкрикнула Рената и заплакала...

Со второй попытки она попала туда, куда именно собиралась.

— Такие письма мы не печатаем, — скучающим тоном сказал редактор.

— Почему? — у Ренаты не было сил на борьбу. Даже вежливое любопытство не удавалсь ей сымитировать.

ЖОРА ЖИРНЯГО

— Не наш профиль. Да и письмо сумбурное. С производственными разборками лучше обращаться в... (он назвал газету), а если в раздел "Крик души", тогда...

— Сашка, — сказала Рената, — ты меня и вправду не узнаешь?..

— Господи... — по-домашнему воскликнул бывший однокашник. — Ты, что ли, Ренатка?!

— Ну я, — усмехнулась Рената. — Всё, что от меня осталось...

— А я-то думал, — не расслышал оттенка фразы одноклассник, — ты, да с твоими-то языками — да-а-авно уже в районе Колорадо...

Они проболтали добрый час. У Ренаты слегка полегчало на сердце...

— Слушай, — яростно сказал однокашник, — я тебе твое письмо так отредактирую — этой сволочи мало не покажется!! — И заключил: — Послезавтра — ставлю в номер!

А что толку? Чем ей поможет это письмо? Ну прочтет какая-нибудь пенсионерка, ну всплакнет... ну скажет: «Вот негодяй! уродов-то развелось!.. В наше-то время разве так было?» (И не вспомнит, что было куда похлеще. Счастливая!) То есть: что толку от газетенки? И разве не Рената отвечает за всё это? То-то невинная овечка! Виноватая овца, конечно. Только невезучая...

Рената затравленно смотрит на дверь. Без пяти семь. Ровно в семь раздастся звонок — и войдет Смог. Этот ублюдок на редкость пунктуален.

Да: в семь он войдет в квартиру, а еще минут через пять — он грубо войдет в нее, Ренату, — и будет долго, со вкусом, ее истязать. Четырежды приумноженный кайф: вволю посовокупляться, "должок взять", унизить, отомстить — всё в одном флаконе. Видимо, одним из немногих, кто обратит внимание на ее письмо в этой газете, будет именно он. А нет, так "добрые люди" подскажут. Они только на такой случай и добрые. Совесть его не замучает, нет у него такой субстанции. Только раззадорит его это письмо. Зачем только она это сделала?! Ошибка за ошибкой...

Милиция? А когда звонить — перед изнасилованием, что ли? То-то им будет потеха. Или во время него? А после — еще смешней... Позвать кого-нибудь на подмогу? Но кого? В любом случае век сидеть этот "кто-нибудь" с ней не будет. А Смог все равно своего добьется, на то он и Смог.

"Проломлю ему череп", — устало думает Рената, ковыляет на кухню, хватает огромную чугунную сковородку, пробует ее на вес — и в это время раздается дверной звонок.

Рената выходит из кухни и, прихрамывая, стараясь при том не потерять равновесия от тяжести сковородки, да вдобавок не поскользнуться на паркете, медленно направляется к двери. Пятиметровый коридор кажется ей тоннелем метро... Снова звонят.

— Иду!.. — ангельским голоском пропевает Рената. — Иду-иду-у-у!..

242

ЖОРА ЖИРНЯГО

Вот она у двери. Поудобней взять сковородку и, главное, не испугаться крови. Как рассчитать удар, чтоб не убить — а поучить? Хорошенькая учеба! Господи, а начиналось так невинно — объявление в газете... И газетой заканчивается! Или это еще не конец? Закончится-то газетой — только другой...

Заметка "Из зала суда"... "Обвиняемая в убийстве известного импресарио, Э. Смога, неудавшаяся актриса, Рената К..." От ужаса и отвращения Рената едва не падает в обморок...

Снова звонок!

Вмиг отперев — она резко распахивает дверь.

На пороге — Андрей.

Он очень коротко пострижен. Худой...

Ренате кажется, что она видит его на экране монитора, находясь при том в орбите Юпитера...

Мужские руки с силой обнимают ее.

Из дальней, нездешней дали она слышит голос:

Прости меня, если можешь. Мы все имеем право на ошибку — ведь так? — и ты, и я тоже. Я прошу тебя: прости меня, что в тот момент я был не достаточно сильным, чтобы понять тебя, войти в твои обстоятельства, разобраться — и, главное, помочь. Морализм, мстительность, ревность — все это от крысиного эгоизма, малодушия — я это знаю точно. Я люблю тебя. Я сейчас сильный, как никогда! Да что ты вцепилась в эту сковородку?!

Так слышится новичку в опере: два персонажа поют — каждый свою арию, слова идут вразнобой... На протяжении Андреева монолога Рената, как заведенная, вслух повторяла: "Почему? почему? почему?.."

Другой бы спросил: что — «почему»? Но Андрей понял мгновенно:

— Потому что я иногда подрабатываю для этой газеты: фотографии, фотомонтажи... Сегодня утром увидел твое письмо. Чуть с ума не сошел... Я понял, что оно написано для меня, мне. Я вообще-то понял и еще кое-что. Но на это потребовалось время. Прости меня, что времени потребовалось так много. К сожалению, я иногда бываю преступно туп.

— Ты что... — прошептала Рената.

И еще она прошептала:

— Голубиная почта...

Андрей же ничего не сказал, потому что понял и это.

И тогда Рената наконец позволила себе разрыдаться. Рыдать, уткнувшись Андрею под мышку... Ах, это, пожалуй, искупает даже причину горя!

— Полный аншлаг, — сказал Эдгар Смог. — Слезки делают тебя суперсекси...

Он стоял за спиной Андрея — странно — нет, конечно, не странно — что Рената с Андреем, продолжая стоять в дверях, даже не слышали поднявшийся лифт...

Андрей развернулся — и резким (но одновременно словно и незаметным движением) ударил Смога в солнечное сплетение. Падая, "мененджер" успел схватить Андрея за ноги — и они оба, сцепившись, покатились по лестнице...

Общеизвестен пример: хрупкая мать, в одиночку, приподнимает наехавший на ее ребенка грузовик... Сила любви превосходит силы, понятные физике, физиологии — сила любви вообще превосходит все силы, отпущенные человеку на простые — или даже не простые, но безлюбовные действия. Поэтому — хотя за целеустремленным Смогом стоял регулярный, безжалостный, зачастую изматывающий физический тренинг, а за Андреем — обычные любительские тренировки (скорее, для хорошего настроения, чем для такого рода "практики"), — примерно через минуту (Ренате, вцепившейся зубами в свою кисть, она показалась вечностью) Андрей привел Смога в состояние лопнувшего воздушного шарика.

— Не смотри, Рената, это не эстетично... — сказал Андрей, старательно вытирая ладони носовым платком.

...Они вернулись к Ренате, сели на диван, обнялись (Рената после шока от драки все еще не чувствовала своего тела), и Андрей сказал:

— Завтра мои квартиранты съедут, и я вернусь к себе. А сегодня... Можно побуду у тебя?

Чтобы не умереть от счастья, Рената не ответила на этот вопрос прямо, а сказала:

— Знаешь что? Давай завтра же сломаем эту перегородку! В смысле: этот пол-потолок! Сделаем лестницу. От меня к тебе, от тебя — ко мне?

И Андрей сказал:

— Давай.

Он засмеялся и повторил:

— Конечно, давай!

И потом сказал:

— А какие пейзажи ты хочешь? На стенах, на полу?

И Рената сказала:

— Я разные хочу. Самые разные...

— Например?

— Например, я снег хочу. Сейчас декабрь, а снега все нет...

И Андрей сказал:

— Будет для тебя снег. Будет Гренландия, Лапландия, Ингерманландия... И хвойный лес... И финские сани возле пологой горки...

А потом он сказал:

— Я знаю, почему ты хочешь снег.

И Рената спросила:

— Почему?

— Ты хочешь снег потому, — сказал Андрей, — что после него, войдя в дом, человек особенно остро чувствует тепло. Наслаждается им. И, когда я тебя раздену, а я сделаю это прямо сейчас, тебе станет холодно, а я буду согревать тебя. Я всю мою жизнь буду согревать тебя, понимаешь?

Тело постепенно, частями, возвращалось к Ренате — под губами Андрея начали проступать — оживая, возвращаясь из небытия — плечи, шея и собственные ее губы — это длилось долго — и длилось мгновенно — ровно столько, чтобы воскреснуть, — и вот она уже ощутила всё свое тело — полностью, целиком.

Оно яростно жило в вечности, сжигая в своем пламени все былые и грядущие страхи, ссоры, обиды — всю эту мелочную человечью чушь, шелуху, которая, как сорняк, забивает собой пустыри, пустыни, пустоши нелюбви — но к этим двум людям, подошедшим друг другу, как идеально зарифмованные строки, все это уже не имело никакого отношения — они были сильны, как никогда, сливаясь с любовью друг друга, с любовью всего мира: потому что двое любящих, ставшие единым, навсегда защищены ладонью Дарителя.

И тогда — словно в тиши хвойного леса, словно на берегу пруда, словно под небом, навечно влюбленным в землю, — Рената наконец услыхала свой собственный голос. Это не был искусственный голос актрисы, или резонерский голос разума — или голос, которому было суждено жить только внутри, в темноте тела. Это был вырвавшийся наружу, отлетающий к небесам оглушительный крик птицы, в котором сливаются воедино печаль и ликование, отчаянье и восторг, боль и наслажденье — потому что их и не разделить в нашем зарифмованном мире. И этот крик был ее голубиной почтой — благодарным посланием к пестрой, неистовой — скупой и божественно щедрой — жизни».

— 23 —

«Свой шесток»

...Как-то в одном из очередных интервью — дело было в Испании, где Жора в течение трех лет внушал доверчивым выходцам из Андалусии, Валенсии, Каталонии, etc., *что демократии нет нигде*, — он пожаловался: в Смокве-граде его частенько приглашали на презентацию водки.

Сразу заметим, что мадридско-университетские бла-бла касательно демократии и ее отсутствия, равно как и сам университет, были для Жоры лишь «крышей».

Произошла скучнейшая история: спонсор «ПЕНОПОЛИУРЕТАНА» завел на стороне девицу, — точней, эту девицу (по словам спонсора) конкуренты ему, куда надо, подбросили, куда надо — впихнули пачки банкнот, куда надо — засунули этак злокозненно одноразовые шприцы и белый порошочек, напоминающий питьевую соду, но питьевой содой не являющийся, куда надо — втиснули они и парочку, романтически выражаясь, арбалетов...

Многоступенчатый компромат в сочетании с шахматно-элегантным шантажом сработал, «процесс пошел» (разврат, развод; разброд и шатания в ближайшем окружении; банкротство; незаконное хранение; наложение арестов на счета, на недвижимость; судебные иски); в итоге — пенопо-

лиуретановый штат разлетелся в прах — как пух
из вспоротой погромщиками подушки.

Жорина главная лохань в Смокве-граде оску-
дела.

Однако даже не иссякновение лохани было
основной причиной его испанского маневра. Отнюдь нет!

Главная причина заключалась вот в чем. Евстигней Елисеевич, родной брат Жоры, бывший
до того членом то ли Сената, то ли Синода, членом
элитарного клуба то ли «Содом», то ли «Гомор-
ра», приторговывавший оптом то ли фаллоими-
таторами, то ли молитвенниками, был сфотогра-
фирован в сауне — не с теми, с кем надо, обвинен
в сексуальных связях — опять же не с теми, с кем
надо, застукан за взятием мзды — совершенно не
от тех, от кого надо. И так как разговоры об этих
досадных оплошностях стали расти — всё равно
как жировые отложения при несоблюдении али-
ментарных рекомендаций диетолога, Евстигней
Елисеевич Жирняго мудро отбыл на родину Бла-
городного Идальго (воевавшего против всех не-
справедливостей мира, вместе взятых) — где и открыл элитарный рыбный ресторан. (Ох, вот она
опять, рыба!)

Тут с Жорой случился, что называется, кризис среднего возраста. Да и как кризису не случиться, если Жора ни на секунду не забывал, что
родной брат владеет крупнейшим рыбным ресто-
раном в Мадриде? И не просто рыбным ресто-ра-

ном со всякими там salpicon de mariscos, эка невидаль, а...

А фишка была в том, что насобачился Евстигней Жирняго выращивать в засекреченном водоеме некую эксклюзивную Чудо-Фиш. Ох, и отличалась же эта рыбина от тех простодушных туристических «специалитетов», запеченных в горшочках!

Чудо-Фиш имела вкусовые качества осетровых, пищевую ценность белужьих, не уступала в усвояемости стерляжьим; при этом она обладала размерами и весом китовой акулы (12 м в длину, 7 м в обхвате, 20 тонн) — и имела еще одно очень немаловажное, если не сказать решающее, для Жоры качество: она могла быть бесплатной. В смысле бесплатной именно для Жоры. Целиком. Когда хочешь. Так сообщал брат.

И взялась же сниться Жоре эта Чуд-Фиш!.. Сниться так жестоко, так навязчиво и неотвязно, что, проснувшись, весь в поту, он иногда, в одном исподнем, садился за руль своего «хаммера» и задумчиво ехал к Смокве-реке, планируя там утопиться. А вскоре к Чудо-Фиш присоединились во снах cochinillo asado (жареная свинина; здесь: свинья целиком) и cordero asado (жареный ягненок — тоже целенький: розовый на срезе, истекающий соком и нежным жирком...)

И, когда Жора в очередной раз сделал поползновение съездить к Смокве-реке утопиться, его супруга — *дико, по-бабьи* взвизгнув и взвыв, — прокричала, что есть же, дескать, ма шер, в конце концов, система приоритетов.

Так Жора очутился в Мадридском университете.

И вот из этого университета поступили от Жоры жалобы, что в Смокве-граде приглашали его очень часто на презентацию водки. (А какую бы презентацию он предпочел? Может, «Orujo de Galicia?»)

Том Сплинтер, прочитавший эти жалобы в Интернете, задал себе вопрос: а кого же на презентацию водки и приглашать-то? Правда, Том не создан для блаженства содержать винно-водочный заводик. А кабы для такого блаженства создан был, он бы именно Жору — на все презентации водки — вообще на любые презентации — всенепременнейше бы приглашал. Ну, конечно, соответствующим закусоном бы обеспечивал, не обидел бы. А кого же еще на такие междусобойчики приглашать, если не Жору?

...Куплю себе белую шляпу, поеду я в город Анапу. После Мадридского университета (брат проворовался и там, раблезианские оргии-гастроаттракционы с Чудо-Фиш накрылись) Жора, правду сказать, поехал вовсе не в Анапу, а прямиком вернулся в первопрестольную Смокву.

Именно там он широкополый головной убор и купил. Однако даже после этого ни в какую Анапу не поехал. Ему предстояли титанические труды *по восстановлению своего имени.*

«Коротка жизнь жука-навозника, а народная память еще короче», — гласит пословица древних басков. За три года Жориного отсутствия о нем почти что забыли. На этом отрезке времени, равном по плотности нескольким предыдущим столетиям, смоквенскую державу накрыла лавина приключений: провалился под землю город с миллионным населением; всесмоквенская банда воров на доверии, выдававших себя за представителей инопланетного разума, села на скамью подсудимых; Бога снова отменили и снова реабилитировали, притом *с повышением в должности;* Министерство культуры при поддержке Министерства образования упразднило силлабо-тоническое стихосложение, сделав исключение для анапеста; представители отечественной науки, начавшие успешно клонировать вождя мирового пролетариата, получили в итоге итальянскую порнозвезду Чиччолину — и т. д. (Вообще говоря, невозможно было отыскать н и о д н о г о смоквенского семейства, где за эти годы кто-либо не был бы ограблен, избит, ранен или даже убит. А иногда означенные казусы, суммарно, скопом выпадали на долю одной человеко-единицы.)

И все эти события память народная, не сделав никаких выводов, выбросила на свалку истории незамедлительно. Тем более что такого рода «страницы истории» не остались где-то в «прошлом», а, плавно перетекши в «настоящее», неукротимо устремлялись в «будущее». Следовало успеть увернуться, дать дорогу потоку... До «хранения» ли тут? («Река времен в своем теченьи // Уносит все дела людей // И топит в пропасти забвенья // Народы, царства и царей...» При фразе «река времен» мне всегда почему-то видится сточная канава. Или ржавая канализационная система. Или попросту фановая труба. — *Т. С.*)

Так вот: с такой-то памятью — у такого народа — до Жоры ли тут?

Хотел было сунуться назад — в гламур и глянец, а там уже красивых двадцатидвухлетних — как сельдей — точнее, как арестантов в бочке. Но Жора к этому был готов; он быстро сориентировался, из неудавшегося графа Монте-Кристо переквалифицировался в газетчика — и начал новое свое громыхание с того, что — в одном из самых горластых листков столицы — выгрыз себе постоянную колонку под названием «Свой шесток».

Там он возникал ежепятнично — в неотъемлемом, даже как бы неразъемном с головой аксессуаре, ставшем в некотором роде его, Жориным, Trade Mark, если не сказать Logo. Пушкинские бакенбарды, пешковские усищи, есенинский чубчик кучерявый как-то не пришлись ему в тему.

Он выбрал шляпу. Не для Анапы, конечно, но такую — не войлочную, с безвольными висюлька-

МАРИНА ПАЛЕЙ

ми, для расслабленных целлюлитных теток тридцатых годов, — а такую: с хипстерским подъелдыком. Творческий человек всенепременно должен показываться аудитории в каком-нибудь чепчике дурацком. Это обязательно. Чепчик есть прямая проекция его *нестандартных* коммуникаций между нейронами головного мозга в процессе синаптической передачи. То есть этих коммуникаций позиционирование.

Правда, для такой шапчонки подошел бы более телесный каркас какого-нибудь, ну, скажем, Джеймса Дина, но это, как говорят в Смокве-державе, *детали*.

Итак, Жора еженедельно взлезал на свой шесток (от чего тот трещал и страдальчески прогибался) — то есть взгромождался на самую верхотуру этой колонки — и оттуда, наподобие Импровизатора из «Египетских ночей», с незамутненной, наработанной поколениями Жирняго, бесперебойной бойкостью порол правду-матку, сапоги всмятку, на любую тему.

Не возникала еще такая закавыка в подлунном мире, которая бы заставила Жору, потупив очеса, хоть на малую толику усомниться в своей компетентности. У некоторых болезненно мнительных читателей возникала даже невольная аберрация: казалось, все эти «общественные вопросы» высосаны из жоро-жирнягинского хваткого перста — причем всецело для того, чтобы поддержать его, жоро-жирнягинский, уровень матпро-

ЖОРА ЖИРНЯГО

живания. А других задач и целей у этих вопросов нет. Словно бы даже этих самих вопросов — и даже никакого общества нет! — а есть только Жора Жирняго с его мифологическим обжорством — аберрация, полярная той, которая постигла подданных голого короля, но все равно аберрация.

Изюминка состоит в том, чем же именно — ради какой жизненно важной цели — сочинитель захламляет мозги ближнему-дальнему. Вспомним Чехова, который с тихим отчаянием призывал по возможности облагородить половой инстинкт! Почему он обошел вниманием инстинкт пищевой? Видимо, на такие воззвания ему уже не хватило здоровья.

Итак, вот — значительно сокращенный! — перечень предметов, по поводу которых Жора-в-Шляпе бесперебойно выдавал «his point of view»: качество нашего мяса; наши отцы и не наши дети, цена нашего аборта; из чего у нас делают мыло; нитратные добавки в говядину; тотальная девальвация демократии; наша экзистенция метафизики; наша метафизика экзистенции; спрос на смоквенские кисломолочные продукты; качество — всегда враг количества; жены «новых русских» и любовницы традиционных французов; западная дискриминация интеллектуалов; наша сегрегация ученых, климактерический климат; курение нам не так страшно, как алкоголизм; возрождение нашей смоквенской суверенной безнравственности; западное вегетарианство как часть оппортунизма; татуировки — это не для наших женщин; некоторые деловые преимущества английского языка; мы не рабы; настоящих либералов нигде в мире нет; мира нет среди либералов; релятивизм как догма; их политкорректность — это сектантство; мусорный ветер перемен; интеллигенции на западе нет; мы ленивы и нелюбопытны; наше безвременье; наша свинина на рынке и в магазине; смоквитянин и несмоквитянин на рандеву; наши нищие — это загримированные актеры; их феминизм и наша наркомания — это одно и то же; токсикомания и коммунизм — это одно и то же; тоталитаризм и литотатаризм — это одно и то же; шовинизм и вишонизм — это одно и то же; менты и уркаганы — это одно и то же; демократия и либерализм — это не одно и то же; свинина и телятина — это не одно и то же; антисемитизм и антисионизм — это не одно и то же; панславизм и евразийство — это не одно и то же; Ромео и Джульетта — это не одно и то же. И так далее. Несмотря на, казалось бы, разношерстность и разнокалиберность, все эти безбрежные поля человеческой мысли легко подходили под общежитейский формат: «а вот еще такой случай был».

Представленный перечень касается лишь одной газеты, где Жора рождал перлы еженедельно, но он «не мог молчать» и в других изданиях, среди которых фигурируют, конечно, «Факел», «Юный кооператор», «Луженая глотка», «Люберецкиеублички», «Молодежный полюс», «Страховой полис», «Смоквоградский предприниматель», «Известия», «Маяк бизнесмена», «Юрьев день», «Брачная ночь», «Календарь банкира», «Седьмое небо», «Улов», «Ось координат», «Знамя & Стремя», «Новый Свет», «Вестник Азиопы», «Винтажный мужчина», «Новый Рим», «Перемен!», «Цыпленок жаReNый», «Путь», «ГламурА», «Цыц!», «Место встречи», «Легко!», «Знамя & Вымя», «Corporation П», «Полный эрзац», «Папики XY» — and so on, and so forth. Зачатие этих эрзац-шедевров производилось не чем иным, как «наязыченным пальчиком» (прелестное, по-моему, словосочетание, изобретенное молодой подругой Тома, применительно, правда, к иной ситуации).

Итак: чукча сажает картошку. Закопает — и тут же выкапывает. Ну, и съедает тут же. Закопает — тут же выкапывает — съедает. Такой вот цикл. Подходит некто (допустим, горе-шпион), спрашивает: ты чего, чукча, делаешь? А тот: сажаю картошку, тут же выкапываю и ем, однако. А почему ты, чукча (спрашивает горе-шпион), ее сразу — выкапываешь и ешь? (Действительно: почему? Что сказали бы корифеи из «Что? Где? Когда?»?) А по-то-му что... ку-ша-ть о-чень хот-ца... од-на-ко, — выдает чукча из желудочно-кишечных недр своих, под завязку забитых сырым корнеплодом.

Знаю: сейчас Тома Сплинтера распинать будут. За вульгаризацию объяснений. Можно подумать, — скажут присяжные заседатели, — что modus vivendi этого писательского типа, по имени Жора Жирняго, продиктован исключительно необходимостью жрать, жрать и жрать. Иной пытливый читатель добавит: а вот граф Толстой (Лео), например, не мог молчать. Он просто молчать не мог: может, у него эхолалия была, может, еще что — то есть он активничал вовсе не потому, что он хотел жрать, жрать и жрать.

Аргумент неверный — о, наивные оппоненты Тома, его целомудренные, его чистые читатели, развращенные классическими мифами рус. литры. Ежели б Жора «не мог молчать», он бы чего художественного на-гора, глядишь, и выдал бы, а упомянутые маловысокохудожественные (хотя и резонные) газетные инвективы ясно указуют на источник его бед: а именно — двигала дланью его хваткой ох не сильфидообразная муза, но яростные и беспощадные желудочные энзимы, клокотавшие, как на раскаленной сковородке: жрать, жрать, жрать.

— Фу-ты, ну-ты, ножки гнуты, — возразят присяжные заседатели, — ну можно подумать, что у человека смертного одна радость в жизни, одна ее мотивация. А властишка, к примеру? а гонорок? а, например, брюлики?

Ах, любезные, — возьмет последнее слово (в предчувствии бесповоротного остракизма) Том, — да неужели вы не уясняете, что, кабы не эта пожизненная необходимость жрать, так не сидели бы мы друг у друга на голове, аки пауки в банке из-под майонеза, или, скажем, в обессмерченной баньке вечности — не сиживали бы мы там с этим желудочным соком в складчину, с этой соборностью половых органов, со сложноразветвленной грибницей общих, намертво взаимнопроросших кишок и мозговых извилин! Что, ежели бы не потребность жрать, так и не было б вовсе на свете ни властишки, ни гонорка, ни брюликов, ни конституции, ни проституции, ни подневольной контрибуции, а разлетелись бы мы привольно в бездонном голубом эфире, как трепещущекрылые, крылышкующие золотописьмом эльфы, — кто куда, кто куда, кто куда — ну, например, сбирать златой нектар со златых инозвездных цветов (исключительно из эстетических соображений, заметьте).

—24—

Профессия: телепузик

> «Тиливизол — это такой Телемок, где дядя Жола Жилняго живет».
>
> *Определение телеящика*
> *(Артур, 3 года, Смоква-град)*

> «Смотреть телевизор страшнее, чем жить. Это я вам точно говорю».
>
> *И. П., обозреватель центральной*
> *смоквенской газеты*

Жора, как и его ханско-мандаринские предки, не имел никаких иллюзий насчет природы простолюдина. Повторяем: никаких. Однако, зачерпнув опыта новейшей истории, он начал чрезвычайно

MARINA PALEY

ценить одно его питательное свойство. Питательное — значит вот что: если его, простолюдина,
правильно подпитывать-орошать, окучивать-уна-
воживать, то у этого пасленового созревают такие разлюли-наливные клубни, которыми можно
бесперебойно питаться до самого гробового входа. Да притом так сладко, как разве что прадеды
едали. Цитата «Ленивы и нелюбопытны» — не-
корректна. «Ленивы» — это в точку: раб не может
быть не ленив. А насчет «нелюбопытны» — чушь
собачья. Это, господа, — смотря до какого пред-
мета!

С учетом вышесказанного, взялся Жора регулярно втискивать телеса свои изобильные в лохань телеящика. И в той упомянутой чудо-лохани
задумал покултыхаться-побултыхаться Жора, аки
демон океанический Левиафан. Но, в случае Жоры, он был Левиафан, затиснутый судьбой-индей-
кой в кубическое узилище — а потому скукожен-
ный там до габаритов лабораторного жабёнка.
То есть он и хотел бы маленько побултыхаться-
поколбаситься, да формат ящика это дело отнюдь не приветствовал. Получалось, что Левиа-
фаном-то оказался — вовсе не Жора, а как раз те-
леящик. А Жора, оказалось, — кто он в этом раскладе? А Жора — солидный, упитанный глист,
соками Левиафана взаглот питающийся, — при
том, в свою очередь, активно поддерживающий
в Левиафане непрерывный булимический зов:
жрать. Как следствие того (в смысле: будучи не-

щадно скукоженным), Жора натужно острил, всячески «интересничал» и порол чепуху ахинейскую (т. е. хорошо отфильтрованную «правду-матку»).

Все эти трюки-приемчики рыночного наперсточника непременно вызывали технические и, главное, умственные помехи у телепользователей, но они не роптали, так как Жора, по крайней мере, не выдавал себя за Иисуса Христа — а в наши дни это ой как немало.

Был у него, правда, один невинный закидон, но массовый телезритель этого не замечал. Однако — на зоркий прищур естественников, еще в юности утративших мечтательность в анатомических театрах, — это был, безусловно, нервный тик.

Проявлялся тик следующим образом. Деловито продираясь к экрану, Жора, вместо ожидаемого по жанру пускания пустопорожних пузырей («Добрый вечер, дорогие телезрители!»), с ходу выдавал две стандартных фразы — только других («альтернативных»).

Циничным естественникам было отчетливо видно, что делает он это как бы не своей волей. Выглядело это так: Жора, вроде бы, был бы и рад помолчать, но какой-то системный error его синапсов порождал сбой в отправке нервных сигналов к лицевым мышцам (в частности, к круговой мышце рта); ротовое отверстие разверзалось; находящийся на дне ротовой полости мышечный орган жевания и глотания, угнетенный своей речевой функцией, подневольно проделывал сотню-другую суетливо-мелких движений. Это была финальная фаза тика. Ее звуковым результатом и являлись два тезиса.

Тезис первый:

— Писательство — это не профессия.

Тезис второй:

— Написание книг — это не работа.

С данных тезисов Жора всегда начинал свою передачу.

Дескать, я глубоко осознал мое прежнее недоумство, а также грешки моей молодости. Осознал, искренне раскаялся — и сделал правильные оргвыводы.

Следовало понимать Жору так, что «настоящая профессия» — это именно потное («умное») сопение в телеящике, а «настоящая работа» — это создание своему телесопению ореола телеподвига. («Невозмутимость — наш рулевой».) Означенные же фразы — в сугубо утилитарном отношении — следовало считать визитной карточкой Жоры (Девизом /слоганом его бренда, Паролем на вход в Закрома).

Телепользователи, отлично понимая (причем именно умом, для того большого ума не надо), *чем именно* вызван телемезальянс потомка ханов-мандаринов, *бывшего писателя* (мезальянс, который стал бы подлинной катастрофой для настоящего хана-мандарина — и настоящего писателя). Жоре от души сочувствовали. Кому — супчик жидковат, кому — жемчуг мелковат, но не будем мелочны, «всем кушать хотца» (выражение Жоры), и жемчуг для кого-то, возможно, так же насущно важен, как супчик. Народ Жору жалел: сегодня ты, завтра я, чего там; от сумы да тюрьмы... (Nota bene! Вариант: от сумы до тюрьмы — шаг.)

Однако те немногие телепользователи, в чьих головах еще кое-как квартировало подобие мысли, считали так: вот-де бьется Жора, как мышь в лохани с молоком, — этакая гигантская мышь психоделических, сальвадоро-далийских натюрмортов — бьется, колотится-колготится в борьбе за выполнение персональной продовольственной программы — и вот, глядишь, молоко взобьется до масла, и встанет Жора наконец на твердую почву, и завяжет навсегда с этим вопиюще не царским делом. Но жидкость телеящика, в которой безостановочно бился-колготился Жора, увы, так и не переходила ни во что прочное, вследствие чего напрашивался неприятный вывод, что исходная жидкость являлась, видимо, как бы это помягче сказать, не молоком.

В конце концов, помимо обычного телекултыхания (которое, в отличие от потребностей желудка, было хоть и частым, но, увы, не регулярным), Жора, оттяпав конкуренту ногу, отгрызши другому недотепе руку, сумел наконец вкусить меда и млека эксклюзивно-элитарной SUPERпрограммы.

И начал выступать в пикантных тандемах. Одна часть тандема («гость программы»? «гвоздь программы»?) — то есть часть тандема, приглашаемая Жорой на съедение, была скандально-яркой — скандалами самого разного свойства. Функция этой части была такова, чтобы по-ярмарочному цепко, ухватить зеваку-*орануса* за любую часть тела, желательно за желудок или гениталии, и не выпускать уже до конца. (Какого конца? То ли его, *орануса,* собственного, то ли Конца Света...)

Жора же олицетворял собой ум, совесть, здравый смысл, — одним словом, как сказал бы один из любимых писателей Тома, — *норму.* Считалось при этом, что он бесстрашно сдирает с лицемеров их маски! — и, будучи в прошлом сантехником душ, посредством хитроумной, но для блага же самой жертвы необходимой вивисекции, предоставляет публичному обозрению *истинную внутреннюю конструкцию* заплывшей на огонек инфузории (купившейся на оплаченный телеящиком сыр — лабораторной мышки?).

Считалось, что это «срывание масок» есть проявление Жориной принципиальности, личной отваги, ума и даже безоглядного рыцарства.

Правда, не самая понятливая часть телеконтингента, пристыженная и угнетенная своим низким IQ, никак не могла взять в толк: это что — действительно такая физиологическая потребность у «гостей программы» — чтобы с них всенепременно *маски срывали?* Этакая пикантная, хоть режь, мазохистская (она же эксгибиционистская) потребность. И приспичит же вдруг индивиду этакое хирургическое вмешательство! Жил себе человек и жил, и вдруг — ну просто конец его жизни, и всё тут, если Жора Жирняго — в благородном своем порыве — да не сорвет с него маску! Нету ему, хирургическому клиенту, без того жизненки — хоть поди топись в выгребной яме! (Ни хрена не поймешь с элитой этой долбаной, ёкарный ты бабай...)

И то правда: простолюдин, сколь его ни корми теликом, сколь его ни оболванивай, всё равно в сторону его экрана смотрит, а правил в том заэкранном лесу не знает и потому никак не въезжает, что с этой, *оранусовой* стороны экрана, Жора как бы «маски срывает» (таковы оцифрованные аберрации зрительского восприятия), — а с той, со своей, с главной, он важнейшие желудочно-кишечные (в смысле: алиментарные) связи заводит. Родился он вам, что ли, — маски срывать? Совсем дурачок, что ли?

И вот какие это были тандемы: председатель акционерного общества «Русский Меркурий» (конкурентов в каталажку энергично сажавший, в каталажку затем севший) — и Жора; ведущий телешоу «Вышел зайчик» (ловко подставляющий коллег — коллегами в итоге подставленный) — и Жора; директор банка «Интеграл» (найденный впоследствии мертвым на мертвой третьекласснице) — и Жора; Генеральный прокурор державы (принявший впоследствии церковный сан, а позже ставшим автором эротического телешоу «Куй, кукуй, пока...») — и Жора; самый результативный хоккеист сезона (рывший яму товарищам по команде — и в яму спьяну упавший) — и Жора; эстрадная певичка (поймавшая ловкую комбинацию из трех ноток и сделавшая на том карьеру сезона) — и Жора; всенародная Сирена, отрада сентиментального мента и мечтательного пролетария (похабство ротового отверстия, грим портовой шлюхи, неохватный зад, под стать ему бант на парике, который выглядит завшивленным, тулово-танк, втиснутое в декольте для Барби, даже с экрана ее подмышки разят луковым потом) — и Жора; женщина-депутат от Левацкой партии Либеральных Леваков — и Жора; главный сексолог Смоквы-державы — и Жора; главный нарколог Северо-Западного региона — и Жора, главный гинеколог Краснопресненского района — и Жора; ведущий телепрограммы «Инцест в охотку» — и Жора; главный редактор мужского глянцевого журнала «Губы» — и Жора; лидер партии Любителей Пива — и Жора; начальник тюрьмы, директор рынка, частный издатель, кремлевский визажист, сериальный насильник, беззубый правозащитник, клоун, генерал, танцор-трансвестит, мать-героиня-одиночка, фермер, меценат, мэр-самодур, актер года, следователь по хищениям в особо крупных размерах, моряк-подводник, патриарх, олигарх, пу-

тана, активист Гринписа, международный хакер,
ветеран всех дезинформационных войн без исключения, известный бас, губернатор-тиран, япон-
ский посол, лидер оппозиции, министр обороны,
жокей, столичный кутюрье, модный режиссер, знаменитый дирижер и — ЖораЖораЖораЖора —
ЖорЖорЖорЖорЖорЖорЖорЖорЖорЖор
ЖЖЖЖЖЖЖЖЖЖЖЖЖЖЖЖЖЖЖЖЖ

—25—

Девять грамм свинца
и бриллианты тератологии

Еще совсем недавно любой массовый мордобой,
т. е. мордобой самих масс, равно как и мордобой,
осуществляемый массами, объясняли классовой
борьбой. Нынче же, в странах цивилизованных,
классы есть, а войны нет, ибо классы ненавидят
друг друга галантерейно, по-куртуазному. В странах же навсегда недоцивилизованных — и клас-
сов-то толком не разглядеть, а бойня все равно
налицо. Да какая!

Классов, повторяем, не видать. И не только из-
за огня-дыма-баталий, но из-за стремительной —
до фантасмагории — «текучести кадров». В дина-
мичное время живем: вчера некое лицо, скажем,
было уездным попом или каким-либо духоподъём-
ным гуманитарием (голозадым разночинцем, в
общем), сегодня оно, лицо это, — грабитель-на-

летчик (криминальный элемент), завтра — кум губернатору, сват министру, банкир (средний и высший класс), послезавтра — криминальный авторитет на зоне (в предыдущей стадии это было не официально) — а после-послезавтра лицо снова колбасится в институте церкви, «облаченное доверием паствы на путях общественно-полезных функций соборного духоподъятия». Уф! А подворовывать оно, это лицо, продолжает сугубо частным порядком, в силу рефлекса. Ну и какого же это окончательного класса это переливчатое лицо?

«Поэт в России должен жить долго». Да кто угодно в России должен жить долго! И, как бы космополитично это ни звучало, жить долго — в любой точке планеты. За это и выпьем!

Но притом получается, что, ежели в Смоквядержаве вовремя не ставить чуждые элементы к стенке (девятиграммовой пулей создавая «приятную тяжесть в затылке» — и словно бы окончательно фиксируя принадлежность особи к тому или иному классу), то эта особь, размножаясь, снюхивается-слипается в беспрерывно образующиеся и вновь распадающиеся группировки. И с таким уж клиповым мельканием претерпевает она, эта особь, свои беспочвенные, выморочненные метаморфозы, с такой мельтешащей скоростью, что четкой границы между ее превращениями не образуется — рубеж просто *не успевает* пролечь.

Причем, заметим вскользь, эти подлинные бриллианты новейшей тератологии — менты-бандюганы, журналюги-челночники, генералы-мокрушники, дилеры-киллеры, президенты-сексоты, etc. — не хуже, чем мутационный гибрид бульдога с носорогом — свели бы с ума любого Карла Линнея. (Жан Батист Ламарк, будучи *пламенным фехтовальщиком за честь природы*, просто наложил бы на себя руки.)

Повторим: классов нет, а мордобой есть.

Почему?

Да потому что надо же жрать. («Кушать хотца», — так это зовется в переводе с Жориного органа речи, жевания и заглатывания.) И в этом смысле, принимая во внимание именно анонимность враждебной силы (то ли имманентную, то ли уж и впрямь трансцендентную — черт их разберет — т. е. потребность жрать, жрать, жрать), можно «по-чееечески» понять и аргументацию Жоры. Нет, не ту, когда он свою губу раскатал на «гог'ы и г'авнины», а значительно позже — когда в полемической схватке с неким оппонентом, не моргнув глазом, применил наиподлюшный приемчик. Что это за приемчик?

А вот какой. Живет (хотя и не здравствует) — скажем, где-то под Смоквой-градом — некий Проповедник — как там еще? — Титан Духа, Великий Гражданин, etc. На свою беду, прожил этот Титан Духа допреж того несколько лет в лесистом, очень живописном северо-восточном американском штате. Причем не по своей воле: кабы его воля, он бы к басурманам-то, ясное дело, ногой б не ступил, не оскоромился. Он бы даже главы своей в их поганую сторону не повернул! Отменил бы Запад как географическую часть света, и всё. Чего с имя чикаться-то? Нежто ж люди они? Живут сплошь по лжи, над пропастью во ржи.

А незадача состоит в том, что на блаженных угодьях Смоквы-державы такая штука как даже мало-мальская утрата уездного идиотизма, да еще в Забугорье, приравнивается к добрачной потере девственности во времена инквизиции — и карается строго.

Очень строго она карается! Например, во времена самые что ни на есть либерально-кукурузные некоторые смоквенские граждане, откомандированные по казенной надобности — не бог весть куда, а, допустим, на «дружественную» Смокве-державе (т. е. оккупированную Смоквой) родину доброго чешского пива, — получали по возвращении дополнительное (куда уж и больше) поражение в правах — как потенциальные предатели. (Самое странное слово в этой тираде — «права». — *Т. С.*) То есть: такими командировками людей *наказывали.* Но они с радостью шли на это наказание: хоть глоток воздуха!

То есть в Смокве-державе, особенно в Смокве-граде, это освященная веками традиция. Но даже и при таком раскладе никакого напряга не стряслось бы с упомянутым Титаном Духа, кабы он, целомудренность в Вермонте-вертепе потерявший, до проповедничества охоч не был.

Жора-то эту девственность давно потерял, но его проповеди (см. выше) не переходили той границы, когда бы они становились чем-то иным, помимо бытового занудства с конечной целью пожрать. Т. е., помимо рекомендаций насчет мытья окон к празднику (см. выше), он более никаких таких прямых указаний, навроде «как нам по-засеять-взрастить сурепку», или «как нам всем миром обучиться длани пред трапезой мыть», к чести его, не делал. (По крайней мере, на том этапе своей приватной деградации — точно не делал.) А Проповедник делал, делал и делал, и — (отдадим должное Жориному вкусу) — сильно этим Жору раздражал. Однако какие именно аргументы против деятельности Проповедника приводил Жора?

А эти самые: «общенародные», идейно-гастрономические. Умело спикировав до уровня очаровательной черни (очаровательной, ибо, как желающая забрюхатеть самка, она диктует тиранические законы общежития), Жора заговорил с газетной полосы — *ее, черни, злобно-завистливым говорком*: не вам-де, милостивый с'дарь, нас уму-разуму учить! Сами-то — вона, в штате Вермонт — режим дня по-буржуйски блюли, фрукты-овощи в соответствии со строгой диетой вкушали, в теннис, я извиняюсь, чуть прикрывши телеса одеж-

дами белокипенными, что есть мочи лупили-рез-
вилися!..

Что тут возразишь? Состав преступления налицо. Ведь чтобы заполучить в Смокве-державе,
особенно — Смокве-граде — право высказываться
на тему «как нам позасеять-взрастить сурепку»,
любой патриот, а тем более проповедник, обязан... мда, ну уж всяко не на вермонтских лужай-
ках в теннис резвиться... Упаси бог, если тебя за
таким занятием накрыли с поличным. Резвись,
но по-тихому. Меру знай, да.

Правда, нынче за деньги можно хотя бы сам
Эрмитаж в личную пепельницу трансформиро-
вать, и народ — нет, не безмолвствовать будет, а,
наоборот, дерзкого реформатора (ой, кажется уже
было) громко-громко уважать. Выбирать. (А он и
без выборов — уже «над».) Шанс доверия ему пре-
доставлять. (Но: как было сказано выше, смоквитяне любят именно крайности, пред коими подо-
бострствуют, середину же презирают. А теннис
в Вермонте — это что? Да нынче любой студент
коммерческого отделения...

Но вот Вермонт (в качестве темного прошлого) — да еще средних размеров мошна, да еще проповеди — это уж извините. Чтобы проповеди смок-
витянам писать, надо чресла свои с табуреткой
всенепременно в Северном Чертанове воссоеди-
нению предавать, а не с креслицем где-то там в
Новой Англии. Ибо от неправильной химической

реакции — возникающей между седалищем, афед-
роном то есть, и внесмоквенским сиденьем —
и мысли-то неправильной химии в чело повле-
кутся. Британские ученые зуб дают.

Все мы, увы, не эльфы голубого эфира. По-
следствия тому — самые печальные. Только-только приспособится индивид к определенной сис-
теме (питания, дыхания, мышления) — а она, будучи смоквенской по форме и таковой же по
содержанию — хоп-ля-ля в одночасье — и крррраа-
ак!!! И вот Новая Власть наотрез отказывается
платить долги прежней (с маленькой буквы —
принципиально). И всякое поколение, с завид-
ной регулярностью, переходит в Garbage of His-
tory (мусор истории). И тянется из замогильной
тьмы веков с отлаженностью швейцарского часо-
вого механизма присловье — «порядка не было и
нет». А это вам что — разве не есть порядок?

Картина: «Меньшиков в Березове». Задушев-
ная, поучительная живопись. А чему у нее научи-
шься? Оказался бывший фаворит в положении
вышвырнутой на помойку дворняги. Взаиморас-
положение звезд изменилось — астрология, туды
ее в качель...

Но потому Том Сплинтер и остановил свое
внимание на феномене под названием «Жирняго», что, какая бы власть ни коверкала лучшие

помыслы граждан, какие бы граждане ни коверкали лучшие помыслы власти, какие бы «новые» (то есть позавчерашние) идеи ни завладевали кипящим разумом неразумных племен, какие бы мудозвоны ни сменяли на трибунах и в креслах прежних, какие бы «-измы» ни заполучал в качестве облагораживающего довеска беспросветный ойкуменский палеозой — жирнягинский подвид всеядного, хищного, беспомощно-жирного млекопитающего был, есть и навеки пребудет «в порядке», в фаворе, в достатке.

При этом знаками материального внимания представителей этого подвида будет осыпать, с равной степенью эффективности, все равно кто: генсек, фюрер, шах, президент, аятолла.

О чем Том Сплинтер, собственно говоря, уже писал в самом начале своего апокрифа!

—26—

Халва горбатым

Всесвойско-Всесмоквенская Телесирена, в миру Альфиалла Пу (но не из тех Пу, а из других), по большому знакомству выучила Жору, как продавать в массмедиа всякий свой *ик и пук*.

— Ни один *ик* массмедийной фигуры, — назидала она, — не должен пропадать втуне. А уж *пук-то* — тем паче! Всякий *ик и пук* имеет свой профит и тариф.

Артикулируя это, она с удовольствием брила свою ногу, похожую на колонну дряблого сала. В двух шагах от нее, бросая голодные взоры на кишащую волосками пену, шепталась дюжина молодых барыг-негоциантов.

Администраторы Телесирены торговали в розницу ее б/у подтирочной бумагой, зубочистками. Торговали и гигиеническими прокладками, — продавал же Мик Джаггер свой носовой платок по кусочкам? Правда, платок был действительно его, Мика Джаггера, орошенный специфической секрецией именно его, Мика Джаггера, слёзно-носовых ходов. В случае с Телесиреной налицо был подлог, ибо матрона сия давно вышла из (доставлявшей ей массу хлопот) фертильной поры.

Но Жора — урокам внял. Прокладки в его случае были не вполне уместны, зато кое-где мерцали иные горизонты. Дедушка его, фейковый хан и эрзац-мандарин, не на шутку воевал с буржуями настоящими, беспримесными. Он не просто обирал — как сейчас бы сказали, «этих лохов» — но, одновременно — конечно же, развенчивал их идеологически. То есть образ Мальчиша-Плохиша (не дедушкой, к досаде его, сочиненный), — того самого Плохиша, который за банку варенья да за корзинку печенья продает себя в буржуинское царство, — многажды дедушкой-Жирняго порицался. За рачение свое великое сей проповедник пролетарского аскетизма многих госвоздаяний удостоен был — пред которыми, конечно, варенье с печеньем, даже приумноженные до размеров «гог'ы Аг'аг'ат, меркнут: только лох продается задешево.

Во времена Жоры ситуация повернулась на все сто восемьдесят. В силу чего он, проявив чудеса подковерной борьбы, возглавил Комитет-по-реабилитации-Мальчиша-Плохиша. Иначе говоря, возглавил он жюри, щедро награждавшее сочинителей гимнов, од, ораторий (принимались любые жанры) — Банкиру Нашего Времени.

Конкурсанту следовало, в художественной форме, проиллюстрировать следующие положения:

1. Банкиры — тоже люди.

2. И банкиры любить умеют.

3. Банкиры тоже плачут (эякулируют, мочатся, чихают, осуществляют эвакуацию кишечника, размышляют).

4. Банкир — положительный герой нашего времени.

Вообще-то дело здесь не в «героях нашего времени». Потому что героев, по крайней мере, в Смокве-державе, всего четыре: как четверка Всадников Апокалипсиса. Да, именно так: всего четыре, на зато на все времена: а) Голый Король (это не обязательно правитель, вовсе нет, просто типаж публичных сфер: жулик по-крупному); б) Хорошо-Оплачиваемый-Шут; в) Толпа. Вовсе не окаменевшая от очередного злодеяния «наверху» или «внизу». И вовсе не безъязыкая! (Вот уж тут — фигушки!) Просто та, которая всё — всё вокруг — глубочайшим образом фиолетово: deep purple, иными словами; г) Штучный, крайне отчужденный от реальности, гибрид Гамлета с Дон Кихотом.

Погодите... Голый Король — в наличии, а мальчик?.. А мальчика — нет. А был ли мальчик?..

И, в силу этих четырех героев Смоквенской Вечности (именно что — «в силу»), в Смокве, обыденными являются ситуации, которые для меня, Тома Сплинтера, например, столь же необъяснимы, как UFO.

Вот взять к примеру эту типичную ситуацию: эстрадный певец. Не разухабистый, вовсе нет. В возрасте. Из породы «солидняка». Он и в церковь, и в синагогу, и в филантропию (под светом софитов), он и в пир, и в тир, и в мир. И: не то чтобы «любимец народный» (таковых в Смокве попросту нет: попробуй «любимец», скажем, состариться, заболеть: то-то яркого, карнавального злорадства замелькает в газетёнках! Еще бы: массовый спрос рождает предложение).

Итак: певец, о коем речь, — не то чтобы «любимец», но свой, свойский, как хвороба. Зомбиящик без него — сирота при живом руководстве. По совместительству являлся он супругом шестерых жен. Но, конечно, не всех, скопом, — это сохрани бог, — и не параллельно, как с сопротивлениями в электротехнике, — а, как в ней же, электротехнике, последовательно. Четвертой его женой числилась знаменитая актриса, у которой в реестре Гименея певец записан, соответственно, под номером пять, вторым с конца. И вот эта примадонна, на счастье певца-молодца, медийного лица, депутата и проч., переселяется на поля асфоделий много раньше его. То есть у него, у медийного лица, остается еще до хренищи времени для кропания мемуаров, а понаблатыкаться-то их кропанию как раз очень хорошо — на чем? Правильно: на желтой прессе.

И вот незабываемые, хотя и вонюченькие плоды этого наблатыкивания. Оказывается, что генитальная щель у примадонны шла вовсе не вдоль, а поперек; что таковых щелей и у нее было, суммарно, пять (включая те, что в подмышьях — и те, что в подколенных ямках), что внутри тех финансово ёмких (для бывшего мужа), волшебных расселин у нее росли массажные пальчики; что ноготки на них были аккуратно подрезаны и всегда наманикюрены. Ну и т. п.

А теперь заглянем в Википедию этого вдовца. Ох, сумбурно в очах!!! Красным-красно — от орденов, медалек. Рябит — от них же. Живого места нет. У сенильного Генсека в свое время и то поменьше было. Но у певца — они особенные. Они все — за что бы вы думали? — правильно: за культуру.

Так что же такое «культура»?! — спросим у Аполлона Музагета.

А хрен ее знает, — скажет Музагет.

Конечно, ордена певцу накиданы за хорошее строение голосовых связок — и превосходную его тусовочность, а ежели он злые ветры принародно пускает, так то и есть первый признак боярства... Даже если и мозгами те ветра пускает — тем паче: первый элитный смквоградский признак.... «Being loyal is very important»[1], — как говаривал Vincent Vega («Pulp Fiction»). Певец, о коем речь, был и остается лоялен к матери-Смокве... Точнее: к кормушкам матери-Смоквы. Тут он — Патриот Патриотович Патриотченков. И он знает также, что быть лояльным к матери-Смокве — это значит (внимание! важно!) — это значит, рассказывать ей на сон грядущий такие вот волшебно желтые сказочки. Возбуждает, знаете!.. И расслабляет в то же время... Ну а к бывшей жене, земля ей пухом... Разве он к ней не лоялен?.. Почему? С чего вы это взяли?

А вдруг, — делает предположение Том Сплинтер, — а вдруг тот певец... лежал в гипогликемической (голодной) коме? Жрать нечего, вот и продался, а, когда продавался, мозг, из-за коматозного состояния работал плохо, очень плохо... Корень зла: *нечего было жрать*. (Ну-ну.)

Или другой пример. Актер с внешностью пэтэушника, любимец женских масс. Ну, «любимец» —

---

[1] «Главное — оставаться лояльным» *(англ.)*. Культовая американская цитата.

значит: в качестве супруга, мягко говоря, не без издержек. Вас много, а я один!

Долго ли, коротко ли, вот Смоква-держава взялась отмечать День Семьи. Каких бы таких Филемона и Бавкиду лучше всего тиснуть на общесмоквенский плакат? Ясное дело, любимца женских масс. Чтобы они, не жалеючи живота своего (назовем так), боролись за аналогичное счастье. И: поместили того пэтэушника на плакат (размером с асфальтоукладочный каток), конечно же, не одного, а с женой и ребятишками: мальчиком и, как водится, девочкой. Надпись: «СЧАСТЛИВАЯ ОБРАЗЦОВАЯ СЕМЬЯ».

Одновремненно с этим (sic! Одновременно!) актеришко дает интервью в желтой прессе: «От меня сделали аборты сотни женщин... Сотни!.. Я даже не помню имен!..»

Может, нынче аборты эквивалентны собачьим медалькам? Являются материальным, так сказать, воплощением заслуг перед Отечеством?

Король гол. Шут хорошо оплачен. Дон Кихот и Гамлет взаимообразно валтузятся. Народ безмолвен. (Или крика не слышно? Отключен звук? Как в кошмаре?)

Так что же такое — «культура»? Конкретно — в ее смоквенском изводе? Ой, ребята, это, конечно, не бином Ньютона, но Аполлон Музагет, завалив экзамен, валит с него зело посрамлённым.

Вернемся, однако, к нашим баранам.

К «богатым».

...Первое место занял шоколадный торт размером в пять бильярдных столов. Он был щедро покрыт взбитыми сливками — имитировавшими белизну страницы. На ней, на белой этой странице, свежайшей клубникой и марципанами (дающими в своем взаимоположении славянскую вязь) было выложено стихотворение «ХВАЛА БОГАТЫМ». (Правда, вследствие рокового смоквенского головотяпства, само название на самом-то деле выглядело так: «ХАЛВА ГОРБАТЫМ», но дегустаторы поэзии, включая Жору, ошибки не заметили и всё поняли правильно: было вкусно.)

Второе место заняло это же стихотворение, выложенное зернистой (белужьей) икрой «Imperial» — по маслу высшего сорта, толсто и равномерно покрывающему спил белого крупитчатого хлеба, размером с три бильярдных стола; итак, черным — по сливочно-нежному (опять почему-то славянской вязью!) было выложено:

> И засим, упредив заранее,
> Что меж мной и тобою — мили!
> Что себя причисляю к рвани,
> Что честно моё место в мире...

Ну, и так далее, по оригиналу. Следовало наградить победителя, но его не нашли: давно повесился победитель; места упокоения не нашли тоже.

Третье место заняла одна строфа, которую, в связи с дорогостоящими гастрономическими материалами, приравняли к стихотворению:

...А я останусь тут лежать —
Банкир, заколотый апашем,
Руками рану зажимать,
Кричать и биться в мире вашем.

Оно было выложено (конечно, опять же вязью... какой? ну не арабской же!) с помощью персианской золотой икры (Golden Caviar) — редчайшей, на вес золота, икры столетней белуги-альбиноса — по черному китайскому шелку, в который был задрапирован лежащий навзничь манекен-выпечка. Идейный смысл стихотворения, кошке ясно, сводился к тому, что банкиры не реже, а даже чаще других подвергаются нападениям со стороны криминального элемента, но, находясь на передовом экономическом фронте, отважно затыкают своим телом неизбежные амбразуры.

Автора этого текста не нашли тоже. По слухам, тело его осталось лежать, «тут» — в смысле, ну да, в земле, конкретно: во Франции, — а дух... дух... Не духов же награждать, правда?

Дух и так уже награжден...

Так что наградили не сочинителей текста, а их гастрономических изготовителей, что, в общемто, с учетом сложившихся обстоятельств, логично. Оказалось, что все три чуда кулинарной поэзии были изготовлены по заказу Совета Директоров (банки «Смоквенский орел», «Илья Муромец», «Солнце Смоквы»). Директорам вручать награду было бы странно: они же являлись и спонсорами проекта. Им вернули просто деньги — так что по нулям. Но у хлеба, что называется, не без крох. Именно председателю Жоре — сначала на дегустацию, потом, втихаря, на съедение, — все три призовых места и достались.

Вообще-то главными на этом мероприятии были не спонсоры, сохрани бог, — а кто бы вы думали? — вневедомственные охранники. Ну да: четверка здоровущих нукеров, застывших у входа в зал: их услуги были оплачены с 19:30 до 22:00.

И ни секундой долее.

То есть: спонсоры, которые обычно могут широко простираться в области трат исполинских и бессмысленных, за экстра-копейку, ясное дело, удавятся. И поэтому time-schedule (расписание) данного меропроятия следовало исчислять в обратном порядке: чтобы успеть оприходовать все гастрономические красивости до 22:00, следовало приступить к официальному жору не позже 20:00. Исходя из этого, *непосредственно художественная часть* была значительно сокращена. То есть длилась, что нетрудно высчитать, тридцать минут. (На самом деле она длилась и того меньше: всего пару минут, поскольку люди означенных кругов вовремя не приходят: здесь вам не казарма.)

Так что тут охранники виноваты. И жлобы-спонсоры. А потому — неча на одного Жору всех собак навешивать. В Смокве вешалок хватает.

—27—
Преступление
на пищевой почве

Конкурс этот проходил, кстати сказать, в Петрославле, под крышей Летнего павильона на Площади Палаццо: городские власти планировали означенным мероприятием немного подбодрить (гальванизировать?) умирающий город, а получилось похабно: яркая косметика выглядела несвежей и очень дешевой на старческой коже полутрупа.

Соседние с Площадью дворы были, как обычно, серы, сыры, затхлы, не метены — ностальгически раня Жорино ожиревшее сердце именно этой, а не какой-либо иной данностью (он пошел после банкета прогуляться: стояли белые ночи) — да, дворы ранили Жорино ожиревшее сердце именно этой прелестью (полюбите нас черненькими), — прелестью, которая и есть — для тех, кто понимает — главная черта этого города — не выразимая болтовней туристических буклетов.

ЖОРА ЖИРНЯГО

Того не заметив, Жора оказался у статуи Всадника.

Шел дождь, было безлюдно. Не ясная ему самому сила приволокла сюда Жору; последние метры, на одной из улиц, он даже пытался бежать: ливень, нещадно нахлестывая его сотнями, тысячами шпицрутенов, гнал Жору сквозь строй. Прожекторы выхватывали из мрака самого Всадника, его коня и змею, которую Всадник не снизошел смертельно поразить сам — за него это сделал, походя, его конь.

Жорин взгляд сначала оказался завистливо прикован к сексуальным причиндалам коняги... В свете прожекторов они сияли особенно вызывающе...

Наглядевшись на сей объект до впадания в непродуктивную (не способствующую пищеварению) грусть, Жора перевел взгляд на конское копыто — и вдруг это копыто словно ударило Жору в самое сердце.

Из очей Жоры брызнули мириады искр.

И, в сполохах этого нездешнего света, слепящего и одновременно отверзающего очи, — инобытийного, сверхъяркого светового потока, — титанически мощного, будто слитые вместе лучи и вспышки Вселенной, — Жора с особой остротой вдруг увидел, сколь туга и прекрасна ляжка коня, — сколь свежа и округла голяшка Всадника...

Словно чья-то рука подкинула Жору — и пристроила на постамент...

Рыча и урча, он выдрал толстую конскую ногу — с корнем, по самый что ни на есть тазобедренный сустав, — и, стеная, мыча от наслаждения, сожрал ее — каменную, без соли. Затем, уже с ленцой, выворотил нижнюю конечность Всадника... Человечина, в сравнении с кониной, показалась ему менее вкусной. С ней он разделался уже спокойней — отдыхая, отрыгивая. Напоследок погрыз хрящи, высосал костный мозг...

Неведомая длань погладила Жору по голове — и плавно опустила к подножию камня...

Он шел скоро и твердо, и хоть чувствовал, что весь изломан, но сознание было при нем. Боялся он погони, боялся, что через полчаса, через четверть часа, через пять минут уже будет отпечатана и распространена Инструкция индивидуальной за ним слежки («The Most Wanted»); стало быть, во что бы ни стало, следовало до времени схоронить концы. Надо было управиться, пока еще оставалось хоть сколько-нибудь сил и хоть какое-нибудь рассуждение...

Куда же идти?

Это было уже давно решено: «Бросить всё в канаву, и концы в воду, и дело с концом». Так порешил он еще ночью, в бреду, в те мгновения, когда, он помнил это, несколько раз порывался встать и идти: «поскорей, поскорей, и всё выбросить». Но выбросить оказалось очень трудно. Он бродил по набережной Екатерининского канала («канавы») уже с полчаса, а может и более, и несколько раз посматривал на сходы в канаву, где их встречал. В руках у него были большая и малая берцовая кости коня и бедренная кость коня, большая и малая берцовая кости Всадника и бедренная кость Всадника, и Жора решительно не знал, что с ними делать. А ну да вдруг кости не утонут, а поплывут? Да и, конечно, так. Всякий увидит.

Наконец, пришло ему в голову, что — не лучше ли будет пойти куда-нибудь на Неву?

...Он обнаружил себя возле Палаццо, превращенного сначала в склад дров и отхожее место, а потом в Музей. Хранилище было еще закрыто. Некоторое время Жора побродил по набережной, заставляя себя наслаждаться свежим морским ветром.

Дождь перестал. Жора снял плащ и бережно завернул в него кости. В тот же миг он с облегчением заметил, что стражники уже отпирают двери Музея. Первым посетителем Жора зашел под его своды.

— А что это у вас в свертке, мужчина? — строго спросил охранник.

— А вот что, — приветливо сказал Жора и достал из кармана вынесенную со вчерашнего мероприятия водку «Смоквенская».

...Он недолго рыскал по пустым утренним залам первого этажа, зная здесь наизусть всё или почти всё. Он изнывал оттого, что им внезапно овладела прихоть, значительно изменившая весь план, который он бережно вынашивал, прохаживаясь по мокрой от ливня Ингерманландской набережной. Там, на набережной, еще пять минут назад, он хотел просто спрятать следы своего преступления, причем спрятать достойно, и решение, внезапно пришедшее ему там в голову, казалось тогда элегантным. Теперь к этому решению прибавилось желание, в котором он сам себе не смел признаться...

Не зная почему, он снял башмаки и, держа их, сырые, в зубах, наконец-то ступил в тот зал, к которому безотчетно стремился...

— Который час, мужчина? — внезапно окликнули его из угла.

Жора вздрогнул.

В углу, скрытый до того обломком пирамиды, стоял кустод из Отдела античности.

— Одиннадцатый, — сквозь башмаки промычал Жора.

Кустод предвкушающе улыбнулся — чему-то своему, глубоко личному — и вышел...

На цыпочках, стесняясь сырых носков, Жора подошел к саркофагу — стыдливо и нежно, как подходят впервые к любовному ложу. Мумия фараона, словно выполненная из черного швейцарского шоколада, — словно это был и не фараон вовсе, а пасхальный заяц, — возлеживала в той позе, которая особенно возбудила Жору. Жиденькие волосы фараона, по обыкновению жирно смазанные бальзамическими маслами, были заплетены в крысиную косичку и подобраны под осколок золотой гребенки, торчавшей на его затылке. Жора развернул свой сверток.

Удар бедренной костью коня пришелся фараону в самое темя. Жора изо всей силы ударил раз и другой, всё бедренной костью — и всё по темени. Затем подхватил тело фараона, которое оказалось на редкость легким, словно соломенным. Лязгнув зубами, не различив даже вкуса и укусив себя от жадности за палец, он проглотил тело целиком, с начинкой, с волосами, без соли.

Затем искусно сложил в саркофаг кости, придав им совершенно такой вид, будто это и впрямь лежит фараон.

Он еще несколько минут постоял, простосердечно любуясь своей работой... Затем надел башмаки, накинул плащ — и решительно вышел на набережную.

—28—

«Я вижу мрак...»

Как сказал классик, у всего есть конец, в том числе у печали. Но, по частному наблюдению Автора, конца и краю печали, по крайней мере, в нашей истории, пока не видно.

Стал Жора тяжким, как мифологический Святогор: ногу поставит, земля под ногой стонет, инда гнется-проваливается. Перестала держать Жору мать сыра земля.

...С этой знаменитой экстрасенсшей, Матильдой Эммануиловной, Жора соотнесся сначала по телефону. На целительницу (которая, кстати сказать, работала в смоквенском НИИ Социальной Оптимизации) его вывела, заручившись рекомендациями у дам своего круга, мадам Жирняго, то бишь мамаша Жоры, профессорская профессиональная вдова.

Отловить Матильду Эммануиловну было непросто: она отгуливала свой трехмесячный отпуск на засекреченной даче. Затем с одним из ее многочисленных внуков случился затяжной отит. Потом с одним из зятьев — острый аппендицит. Потом у нее ограбили квартиру. Потом у дочери разыгрался хронический аднексит. У правнука — острый гайморит. Издох котяра Чубайсик. Потом у ней у самой (а Жора всё терпел) разыгрался проктит. Ну, а потом был ремонт квартиры... Перелом шейки бедра... Рождение внеочередного внука...

С нарастающим раздражением внимая этому перечню мотиваций — скорбному и вместе с тем липкому, лживому перечню страны разгильдяев, — Жора ловил себя на мысли, что он уже давно знает об экстрасенсше Матильде Эммануиловне всё-перевсё, а вот она не ведает о нем ровным счетом ничего, что как-то нелогично.

Напрашивается вопрос: почему это Жора позволил обращаться с собой, как с простым смертным?

Ответ предсказуем: для чистоты опыта (и результата) Жоре надлежало оставаться неузнанным. То есть он даже фигурировал под чужими Ф. И. О., а именно: Артур Тарасович Вронский. А чтобы эту неузнанность не нарушать своей намозолившей всем глаза телефизиономией (не напяливать же на себя железную маску!), он и решил обойтись по первости простым телефонированием.

Телефонная коммуникация являлась сугубо пристрелочной: как Шерлок Холмс определял конкретный район Лондона по типу грязи на ботинках (с точностью до дома), как профессор Хиггинс по одному «Oh, no!» определял район Англии (с точностью до мили), так и Жора Жирняго по одному «Алё!» определял IQ произносящего (с точностью до единицы по трехсотбалльной шкале). Так что не успела Матильда Эммануиловна алёкнуть — Жора уже аттестовал ее про себя как беспросветную, непролазную, волшебно-безупречную дуру.

Однако внутренний голос устыдил Жору, внятно напомнив, что блаженные, экстрасенсы, волхвы, авгуры и ауспиции имеют совсем иные, не нашенских измерений, характеристики: ум у них нутряной, а Каналы Проникновения в Истину пролегают большею частию вне стен суетных университетов.

— Быстро нарисуйте мне... — скомандовала Матильда Эммануиловна. — Карандашик близко?.. Так, Артур Тарасович, нарисуйте...

Жора напрягся: рисование не числилось в ряду его дарований. Несмотря на это, он безвольно подчинился: там же, в телефонной книжке, быстро открыл чистый листок после буквы «Я».

— Рисуем!.. — начала эзотерическое тестирование Матильда Эммануиловна. — До-о-о-мик... Де-е-е-ревце... Доро-о-огу...

(Отдавая команды, она растягивала слова и делала паузы, оставляя секунд по пять на каждый Жорин шедевр.)

— Дорогу нарисовали? Теперь рисуем речку!.. Так, р-е-е-е-ечечку... Готово? Соба-а-а-аку!.. ммммм... О-о-о-облако... Так. Со-о-о-олнышко... Цвето-о-о-очек...

— Какой именно? — презирая себя, выдавил Жора.

— Какой хотите. Парово-о-озик... Пти-и-и-ичку... Ну, а теперь — себя.

Жора всё это послушно нарисовал... Ну, то есть, насажал каляк-маляк, каких уж мог...

Если кто еще помнит смоквенского пролетарского письменника с усами и трубкой, то, может быть, помнит и то, что у него в одной дидактической пьеске главный герой заболевает раком печени. Дело — швах. Но тут герою говорят, что нашли некоего кудесника, который исцеляет любые недуги игрой на медной трубе. Маловероятно, конечно. Но на безрыбье и рак. Тьфу ты! у него и так рак... Короче, тот, что с раком, говорит: приведите.

Приводят того, что с медной трубой. Ну, взялся он дудеть. Вдохнет, надсадится, киксанёт, слюни во все стороны, рожа багровая.

— Ах ты добрая душа, — рассироплировается тот, что с раком, — так ты ж меня обмануть пришел, да?.. (У того писателя всегда так: жертва своего мучителя жалеет — и от жалости к нему рыдмя рыдает. Оченно по-смоквенски! Тот писатель, говорят, и сам не дурак был порыдать. Рыдай — и рыдать дай другим!)

— Так точно, мил-человек — ответствует целитель с медной трубой. — Дензнаки, вишь, — во как позарез нужны! Всякие там фыни-юани. Пацаненку-то лаптишки надо бы, дочурке — кокошничек бы новый с лентами справить, а жёнка-то моя вон — женскими хворями исходит-мается, полюбовника бы ей за деньги, хорошего... Я бы, мил-человек, тебя за так, без долларюг проклятых обманывал! — вот как есть говорю, от чистого сердца! — да куда в наши дни без зеленого-то дерьмеца честному селянину податься?

— Ну, а может, всё-таки кому и труба помогает? — подбадривает его тот, что с раком, потому что перед лицом смерти он добрый.

— А может, кому и помогает, — по-крестьянски раздумчиво соглашается аферист.

Это объяснение тому, почему Жора, человек образованный и прогрессивно-циничный, послюнявив карандаш, взялся старательно рисовать и цветок, и солнышко, и всё, что ему приказали: эсперанса умирает последней.

— Где домик? — приступила к научному анализу Матильда Эммануиловна.

Теперь ее голос стал академически бесстрастным.

— В смысле?.. — подавленно вякнул Жора.

— В центре находится? — подсказала целительница.

— Нет, с краю.

— Так... А что у домика в окошечке, Артур Тарасович?

— Нихиль. Ничего.

— Занавесочки есть?

— Нет...

— Дверь открыта?

— Закрыта...

— Какое там деревце у вас?

— Обычное.

— С листочками?

— Без...

— Так... А внизу что?

— В смысле?

— Травка есть?

— Нет...

— А дорожка прямая?

— Кривая.

— А облачко — маленькое?

— Большое.

— А сами-то вы где?

— С вами на проводе.

— Я имею в виду: где вы — на картинке?

— На паровозике и с собачкой.

— Какой породы собака?

— Бультерьер.

— Ой! У них же хватка! Голень пополам могут!..

— Вот потому, — мстительно сказал Жора.

Несколько секунд на том конце провода молчали. Видимо, переваривали видение грызущего голень бультерьера.

— Ну вот видите! — наконец подытожила экстрасенсша. — Вот что мы видим, что вы сами видите, и сами же виноваты: дом вам побоку, в доме пусто, дверь закрыта — это в душе вашей пусто; деревце ваше без плодов, без цветов, даже без листиков — это ваше сердце; туча закрывает солнышко — это характер ваш; собака у вас злая — это мысли ваши; ваш паровоз едет в никуда, даже без рельсов, а притом и дорожка кривая.

— Ну естесссно, — врастяжечку процедил Жора.

— А какая ваша профессия, Артур Тарасович? — вдруг поинтересовалась ясновидящая.

— А вы разве не ясновидящая? Определите, — имитируя игривость (и еле сдерживая злорадство), сказал Жора. — Вот что вы, например, видите?

Несколько секунд на том конце молчали.

Сопели.

Покашливали.

— Я вижу мрак... — раздумчиво сказала Матильда Эммануиловна. — Но не просто мрак... Погодите-ка... Ага, — добавила она с радостным удовлетворением профессионала, — мрак и хаос! Именно так! Чего-то там — ох, наки-и-идано, перевё-о-орнуто, переело-о-омано, валяется чего-то, не пойми что...

— Правильно, — сказал Жора. — Я — бывший литератор.

— Ой, как интересно! — по-женски оживилась экстрасенсша. — А про что вы писали?

— Нуууу... — сказал Жора.

— Нет, а всё-таки?

— Ну... Про жизЕнь. Про нежизЕнь.

— А точнее?

— Не могу сформулировать, — сказал Жора.

— То есть? — изумилась экстрасенсша. — Про животных, наверное?

— Отчасти да... — мстительно сказал Жора. — Вы правы...

(Типичная ситуация. Почему-то человеку обыденному трудно поверить, что он — здесь, сейчас — имеет дело с настоящим сочинителем. Обыватель, особенно к западу от Смоквы-державы, абсолютно уверен, что писать можно только по целевому заданию, то есть литератор вступает под протекторат Аполлона исключительно после того, когда им, литератором, будет получен заказ, с ним будет заключен контракт и, главное, ему будет транзактирован аванс. Притом заказ должен быть непременно о чем-либо познавательном, «полезном», «научпопном»: как правильно похудеть без диет; как избавиться от кротов в плодово-овощных угодьях; повадки и особенности распространения зеленого гавайского фазана. Откуда же тогда в книжных магазинах появляется такая чертовня как «фикшн»? Данным вопросом обыватель свою голову не задуривает. Особенно — тот, который живет к западу от Смоквы-державы. — *Т. С.*)

— Понимаете, — малодушно решил уточнить Жора (презирая себя настолько, что сладострастно еще и усилил самоуничижение), — мне всегда было легче книгу написать, чем сформулировать ее идею...

— Странно... — словно бы обиделась экстрасенсша. — Все могут формулировать, а вы не можете. Каждый должен уметь формулировать! Мы же все, все люди, и все мы формулируем. Вот Достоевский. Он писал о красоте души смоквенской, но и об ее темных безднах. Толстой всем своим творчеством хотел земную церковь приблизить к небесной. Но во многом он, конечно, заблуждался. А Маринина — это синтез проблем Толстого и Достоевского, притом на современном этапе. Она показывает: вот во что наша душа от нашей жизни превратилась, и даже характер преступлений изменился, но надежда на церковь, на душу смоквенскую, все равно есть, потому что Маринина пишет с верой в смоквенского человека...

— Мама, ты с кем меня связала?.. — простонал Жора. — Мамочка, милая...

— А что? что-то не так?.. — сонно пропела в трубку мадам Жирняго.

— Мама... — безвольно всхлипнул Жора. — Она же... это же... мама...

— Ну не знаю, не знаю... Эсмеральде Викентьевне она оччень даже помогла. Суровцевым так вообще всем помогла — всем, поголовно...

— Но я — не Эсмеральда Викентьевна, мама...

— А при чем тут я?!! — истерически взвизгнула мать. — Я делаю всё, что могу!!! Тебе вообще всегда всё самое луч...

Жора бросил трубку.

—29—

Чудесный синдикат

No matter how big is a fruitcake, but it is eaten without a remainder.

(English proverb)[1]

В эти поры, о коих речь, Жора об исцелении уже не помышлял. И в те же самые поры люди «умные» (т. е. жирнягинской мировоззренческой складочки) уже усекли, что сентиментальная эпоха голозадых кустарей-одиночек, гробящих себя

---

[1] Как ни велик бывает фруктовый кекс, но и он съедается без остатка *(англ. пословица).*

ни за понюх табаку в горних высях, эмпиреях и безгонорарных трансцендентальностях, безвозвратно ушла, — а настала жесткая эра монополий, концернов и синдикатов.

...Живал-поживал в Смокве-граде некто, имеющий псевдоним: Максимилиан Ахно. Жил-поживал да добро наживал. А также давал жить огромному издательскому штату прохвостов, рук не покладавшему на фронте изготовления силиконовых наполнителей для доверчивых, имманентно пустых черепных человечьих коробок.

М. Ахно выпекал романы из жизни самураев. Данная карамельно-кондитерская выпечка имела в массовом населении бешеный спрос. И дело вовсе не в том, что население обожает сахарную вату и петушков на палочках, а в том, что — как (задним числом) объясняли крепкие (тем же задним умом) критики, — эта *ниша*, т. е. романы из самурайской жизни, в Отечестве долгое время пустовала. Отчаянно пустовала! Просто как яловая корова на горе бедняцкому хозяйству. А вот М. Ахно взял корову — и осеменил.

Пускай даже и очень искусственно.

Какая разница?

Важен результат.

И потом: М. Ахно — он же вам не Зевес в воплощеньи бычачьем, правда? Он — человек: т. е. носитель разума в поисках толстой мошны. Так что яловую корову текущей русской литературы он — естественным путем — осеменять фиг вам обязан.

И всем стало враз хорошо: и самураи, что называется, художественно обобщены, и граждане несамурайского происхождения утолены в своей необузданной антропо-этнографической пытливости. Давно бы так!

Но и это еще половина дела. «Всякая ниша в конце концов заполняется, всякая пытливость утоляется, а потребность в насыщении побегами молодого риса остается» *(яп. пословица)*. Всегда понимая это, Люсьен Чебуреков (паспортное имя Максимилиана Ахно), инженер-электронщик по образованию, сконструировал презанятнейший агрегат. Покажи его человеку сугубо гуманитарного склада, тот бы сразу решил, что это какая-нибудь Машина Времени, или Вечный Двигатель, или Восстановитель Молодости, или Установитель Всеобщей Справедливости — и тому подобная литературная хрень. А что еще может предположить гуманитарий двадцать первого века, воспитанный на книжках века девятнадцатого? На всяком Жюле Верне вперемешку с «Островом сокровищ»? Ну разве что перед ним — Несякнущий Самозарядно-Самогонный Аппарат.

А на самом деле это была, таки да, дьявольская машинка, но другая: Машина-по-Деланию-Денег-в-Итоге. И отнюдь не фальшивых. Фальшивым в этом технологическом процессе являлся всего лишь продукт, предлагаемый в обмен на дензнаки.

А именно: на корпусе этой машинки голубой краской было крупно выведено «ЛЮБОВЬ», и это принималось людьми бесхитростными, то есть житейски близорукими, за ее название, — но стоило подойти ближе, как становилось видно, что ниже, черным курсивом было добавлено: «...*приходит и уходит, а кушать хочется всегда*».

Итак, стоило к машине присмотреться — но не мечтательными и подслеповатыми очами гуманитария, а цепким и трезвым зраком барыги-негоцианта — и на ее рычажках сразу обнаруживалась вполне конкретная маркировка; при нажатии на рычажки открывались экранные окна. Ниже маркировка рычажков и клавиш дается курсивом:

Начинка: «Абортарное», «Адронный коллайдер», «Америка», «Армия», «Банкир, заколотый апашем», «Беспредел», «Бесы», «Бог», «Буддизм», «Будни полиции», «Будни смоквенской глубинки», «Встречи с прекрасным», «Встречи со снежным человеком», «Дао», «Дефлорация», «Дефлорация в производственных условиях», «Дефолт», «Дзен-буддизм», «Дзен и секс», «Заграница», «Зоофилия», «Заблуждения женатого человека», «Евреи», «Ельцин», «Еда», «Из жизни царских дворов», «Инцест», «Историческое», «Каннибализм», «Криминал», «Криминальные авторитеты», «Культ денег (развенчание)», «Наркоманы», «Негры»,

«Негры в России», «Новые нерусские», «О бедном банкире замолвите слово», «Особенности отечественной проституции», «Политика», «Растление малолетних», «Распутин», «Реальные пацаны», «Религия», «Романтика», «Романтика отношений», «Романовы», «РПЦ», «Русская душа», «Русские интеллигенты», «Садомазохизм», «Секс», «Семья», «Сионизм», «Сумá», «Тусовки», «Тюрьма», «Убийства», «УФО», «Фантазии о деньгах», «Чукчи», «Эмигранты (в погоне за Длинным Баксом)», «Ядрореактивность».

Пищевые добавки: «Вера», «Вера русского человека», «Вера в русского человека», «Избранничество восточных славян и самураев», «Извращенцы», «Интеллектуальное», «Искания», «Искренность и горение», «Как бы контркультура», «Лирические отступления», «Любовь», «Надежда», «Невыносимо, но надежда есть», «Невыносимо, но у других еще хуже», «Метафизика», «Метаморфозы», «Молитва животворящая», «Описания природы», «Подтекст», «Полемика по вопросам нравственности», «Полеты по-маргаритовски», «Политкорректность (ее *как бы мятежная* критика)», «Порывы», «Психология», «Психология очень глубокая», «Религиозный мистицизм», «Релятивизм», «Сердце болит за Родину», «Философские рассуждения и заблуждения автора», «Фиолетово — всё», «Цитирование», «Экзистенциальное», «Экстравагантное», «Эксцентричное», «Эпатаж», «Эротика», «Эрудиция», «Юмор».

Обертка: «Боль души», «Крик души», «Нигилизм», «Нонконформизм», «Оптимизм», «Русский патриотизм».

Сухой остаток: «Светлое», «Страх жизни», «Страх смерти», «Чистое».

Способ подачи: «Злободневное», «Актуальное (вчерашнее злободневное)», «Вечное (злободневное нон-стоп)».

Некоторые «окна» располагали шкалой измерения. Например, окно «Психологизм» было оснащено шкалой «Глубина чувствований» (с единицами в *левиных*), а также шкалой «Широта охвата» (с единицами в *коротаевых*) — и, кроме того, шкалой «Высота духоподъемности» (в *болконских*).

Существовал и богатый перечень ссылок: например, в пределах окна «Секс» открывались следующие ссылки: животный с., с. с животными, с. по инцестному типу, с. в античном мире, садомазохистский с., детский и подростковый с., с. без дефлорации, оральный с., анальный с., групповой с., с. в резко извращенной форме, виртуальный с., с. по телефону, с. по переписке, шведский с., с. по скайпу, французский с., итальянский с., русский с., с. ортодоксальных евреев, платный с.

Была панель под названьем *«Стиль»* — стоило ее нажать, выскакивали директории: Айтматов, Аксаков, Аксенов, Акунин, Апдайк, Асадов, Бажов, Барков, Барто, Бахнов, Битов, Борхес, Боян, Брежнев, Бунин, Быков (Василь) и т. п.

Отдельные клавиши имели такую маркировку: *«Коробка скоростей»*, *«Плотностъ повествования»*, *«Драйв»*, *«Сиквел»*.

Существовала ножная педаль — *«Пружина интриги»*. При необходимости ее можно было перевести и в ручное управление.

В общем — *много есть работы для умелых рук.*

Теперь думайте сами. Управляться со всеми этими техническими причиндалами Чебуреков умел, причем как никто, но «вакантным» (или бесконтрольным, как хотите) оставался еще так называемый *человеческий фактор.* И ведь никуда от него не денешься! И хочется его раз навсегда аннулировать — а вот поди же! «Для изысканного салата нужны не только свежие продукты, но умный повар» *(фр. пословица).* Иными словами, выпало Люсьену Чебурекову искать себе напарника. Долго мучиться, честно говоря, не пришлось. Напарником оказался... кто бы вы думали? Правильно.

Найденный профессионал отличался хорошим вкусом (см. выше) и небрезгливостью — качества, казалось бы, исключающие друг друга, а потому, в силу редкой комбинации, особенно ценные.

Люсьен эту комбинацию оценил. А посему — заказал парадный портрет Жоры (для упомянутого уже в начале повествования юбилея): Георгий Елисеевич держит во шуйце свою книжицу («Жызнь», — точнее, «Живот» — и даже «Жысь», как ее окрестили недоброжелатели: всё те же десять рассказов из далекой, как приснившейся, молодости) — а десницей, белейшими кружевными манжетами у запястья прихваченной, на стопку газет указует.

Правда, злые языки говаривают, что ежели присмотреться, то вовсе не книга в руках у Жоры, а семислойно-семиэтажный бутерброд — с ветчиной, копченым языком, бифштексом и т. д. (Бигмак по-смоквенски) — и не стопка газет на подносе, а тоже какой-то продукт питания, не разберешь: то ли испанская рыба, запеченная в горшочке, то ли устрицы во льду — то ли сэндвич с курятиной... А при чем тут газета? А в газету — вот она, милая старомодность! — в газету (умеренной направленности) тот продукт — поверх фирменной упаковки — был изящно, ненавязчиво полузавернут...

...А концерн «МАКАВР» («Максимилиан Ахно — Артур Вронский») — Жора тоже использовал псевдоним, не дурак — завалил своими продуктами прилавки не только книжных, но и любых прочих магазинов. Русские магазины ближнего и дальнего зарубежья до сих пор рассылают такие рекламные буклеты:

МАРИНА ПАЛЕЙ

Всегда в продаже! К вашим услугам!

Халва, пельмени сибирские, огурцы соленые,
семечки тыквенные и подсолнечные,
кремовый торт «Нежность»,
DVD «Москва слезам не верит»,
книги братьев М. Ахно и А. Вронского,
свежие бублики, мука блинная, баранки,
сельдь пряного посола, плавленные сырки,
водка – и многое другое!

Братьями Максимилиан Ахно и Артур Вронский были объявлены (назначены) в целях наивы-
годнейшего позиционирования. Народу нравится, что, например, Остап Ибрагим Берта-Мария
Бендер-бей и Шура Балаганов являются едино-
кровными сыновьями лейтенанта Шмидта. Смо-
квенцы таких братков-брательников, как Остап и
Шура, всей душой приветствуют. Кроме того, раз-
весистая туфта насчет сиблингов-братков — это
вполне беспроигрышный (радж-капуровский) вариант для смоквенских домохозяек, жаждущих
слез, бурной любви и заключительной (то есть
бракозаключительной) справедливости.

В информации, разработанной новейшими
пиар-технологиями, значилось, что красавица-ба-
бушка, из дворян (дед был батраком / казаком /
кулаком) — родила красавицу-мать будущих соав-
торов, которая умерла родами, что разнояйце-
вые братья-близнецы (расстрелянный их отец был
из *органов*) оказались распределены по враждую-
щим кланам (вендетта по-псковски, по-нижегород-

ски), что один братан стал богат, а другой нищ, что узнали они друг друга всего год назад, по фамильным медальонам и родинкам в интимных местах, причем один из них (М. Ахно) на тот роковой момент был прокурором / следователем / судьей, а другой (А. Вронский) — подсудимым за кражу со взломом. Ну и так далее.

И вот только после воплощения в жизнь этого Мегапроекта Жора прекратил трепетать пред неверной телевизионной музой. Продовольственный вопрос оказался наконец-то решен, причем радикально. У хлеба не без крох. «Коль торгуешь своим песнопением как общепитовским хавчиком, твой пуп — ныне, присно и во веки веков — не прирастет к позвоночнику!» *(Из эпоса Островов Зеленого Мыса.)*

Послесловие
Тома Сплинтера

В детстве я почему-то любил всё красивое, а некрасивое не любил. В категорию некрасивого у меня, в моем досоциальном раю, входили следующие контингенты взрослых: **1.** усатые; **2.** бородатые; **3.** очкарики; **4.** лысые.

Некрасивых детей для меня не было. Были *непонятные* (глухонемые, обезноженные, дауны, косые, даже очкастые) — но они не были некрасивы. Уродливыми — при всех вышеперечисленных признаках — являлись только взрослые. (And, as it turned out, I was right[1].)

Случались презанятные происшествия. Например, мои родители, произведшие меня на свет в свои студенческие годы, имели в сотоварищах, как назло, усатых, бородатых и очкариков. А иногда и таких, которые все три уродства умудрялись совмещать. Таковы были нравы.

---

[1] И, как выяснилось в дальнейшем, я оказался прав. (*Англ. Из записных книжек Тома.*)

ЖОРА ЖИРНЯГО

Я же некрасивых в те поры не то чтобы не любил, а, прямо скажем, боялся. Притом смертельно. Это если уж вываливать всю ужасающую правду до конца. (Что-то схожее, то есть лестное для себя, мне повезло найти в биографии Софьи Ковалевской: в детстве, сломавши своей кукле голову, она не могла более видеть ее без брезгливости и неизъяснимого ужаса. Велела выкинуть. Nota bene! Эстеты, в своей тяге к совершенству, непременно сродни математикам.)

Итак, друзья, посещавшие моих родителей, уходили ни с чем: чадо, спрятавши лицо в отеческих коленях, ревело то белугой, то на всю ивановскую, короче, на все лады, но образа своего гостям не показывало, ибо как раз их мерзопакостные экстерьеры и не имело сил зреть.

А с лысыми и вообще напряженно было. Это драматический сказ про то, почему я не сделал карьеру, сходную с таковой, например, Яши Хейфеца. Когда меня приволокли в детскую муз. школу, чтобы истязать там скрипкой, приемное прослушивание вела нормальная толстая тетя — и я по наивности принял ее за свою будущую мучительницу. Каков же был ужас ребенка (скажем о себе в третьем лице) — ужас, леденящий детское тело — и льющий кипяток мочи в байковые шаровары, когда перед началом первого урока ребенок увидел своего истинного мучителя.

У меня сейчас нет ни малейшего желания сравнивать голый череп того человека с коленом: такая метафора могла родиться только у людей ненаблюдательных или у индивидов с небогатой житейской практикой. Скажем просто: учитель был полностью лыс, как полностью лыс бывает только полностью лысый человек.

Не больше.

Но и не меньше.

Примчавшись домой в состоянии, назовем так, резкой психомоторной ажитации, я был жестоко наказан родителями — притом в соответствии с той ригидно-традиционной системой, которую ни в коем случае не одобрил бы Иоганн Песталоцци, а Джон Локк — тот просто выколол бы себе глаза. Но никакие побои, никакие запреты на «вкусненькое», никакие (что было самое ужасное) насильственные разлуки с игрушками не были ужасней того ужаса, который накатывал на меня, когда я мысленно видел перед собой того зловеще-улыбчивого дядьку (*лысого, как пятка, да, Господи? — вот!*), — и даже басовый ключ напоминал мне (напоминает до сих пор) его ухо с двумя точками крупных чирьев, а самого черепа не видно, поскольку он гол.

Со временем мои представления о красоте и уродстве претерпели значительные изменения. Я, конечно, наказан — уже *неподецки* — тем, что отчетливо вижу именно внутреннюю монструозность преуспевших индивидов — особенно персон массмедийных (хотя экстерьером они, на мой вкус, тоже не блещут) — и рад бы не зреть его, это уродство, но зрю — поелику, коль даже очеса свои в дали-раздолья лазоревые направляю, память терзает всё равно. При этом своими впечатлениями, ясное дело, ни с кем из смертных поделиться не смею. Вот и приходится сочинять про вонючий жир, тук, жор, etc. Если кто-то знает какой-либо другой универсальный «человеческий» код, помимо жора, буду признателен получить сообщение на адрес:

tomsplinter@tomsplinter.com

Короче говоря, коль такие трупаки, как мой главный герой — или как «идущие вместе» ему на смену ребрендингово-апгрейдированные антропоморфные машины, начальнички силиконовых синдикатов, — если именно они нынче *назначены лучшими умами* (ну, в той местности, где мне выпало, по головотяпству рока, быть рожденным) — то... Уж лучше, как говорится, в могилушку. Под солнцем могилушка... Дождик ее мочит... Ветер ее сушит... Цветочки цветут... Птички поют... Хорошо... ©.

«...Я всё время ощущаю рождение нового государства.

Дыша на меня могильным запахом рта, парикмахер (тот, что у моего лица, которому я плачу *за приведение меня в степень красоты!*) говорит мне наглые пошлости. Когда я сказал, что парикмахер должен молчать и быть вежливым, он сказал мне (подлец!), что и клиент должен молчать и быть вежливым. Неправда!.. Клиент является частью государства, которое *должно быть красивым, бороться с обезьяной!*»

Неужели самая лучшая — самая удачная — биография по эту сторону гроба именно такова: дед-баба (ордена), мама-папа (ордена), филфак, архив, кафедра, жирный афедрон? Топ-мечта: собственное ток-шоу? Кордебалетом — тёлки топлес? Запеченная рыба в горшочках? Золотой ошейничек службы? Подвытертая ошейничком выя — с двойным жировым жабо?

Или такая: пассажирский поезд «Зажопинск — Смоква-град», пластунское подползание к рычагам-рычажкам, заглядывание в нужые глазки, «вращение в кругах»? Поступательное, танком Т-34, движение к победному троглодитству? Победительное — к маразму? Одностороннее — к старости? К неформальному предгробовому одиночеству?

Или такая: мельтешение-мельтешение-мельтешение, ублажение черни «в резко извращенной форме», копошение-копошение-копошение, ранняя импотенция, вечная ветчина? «Хорошее поведение» — и собачьи медальки к предмогильному юбилею? Презрение детей? (Которые повторят то же самое?) И, фоном всему — главное, «почвой и судьбой» — жратва — жратва — жратва?

Короче — и с поправкой на коэффициент смоквенской богоназначенной специфики, Слоган Успешной Судьбы в целом таков:

ВОЗДУСЕЕВО — ОСТАНКИНО — ВАГАНЬКОВО

Только так, что ли?

Непреложно — так?

Прошу понять меня правильно — то есть не сделать вывод, что Жора мне «недруг» — или, сохрани бог, «антипод». У меня, как у Англии, нет постоянных врагов, равно как и постоянных друзей. У меня, господа, как у Англии, есть только постоянные интересы.

Каковы они?

Ну, это просто.

Мои постоянные интересы заключаются в том, чтобы не гробить свою единственную, мгновенную, неповторимую жизнь на обустройстве в этом сомнительном мире. На этой, как сказал классик, *грануле грязи,* — в канаве животного жора, — в темной канализационной трубе, булькающей от бесперебойного взаимоуничтожения организмов. Не обустраиваться на планете, единственное условие существования — убийство. На планете, которой *я поставил бы ноль.*

Моя задача состоит в том, чтобы из этой трубы вырваться. Даже если она закольцована (что скорее всего). Или как минимум облапошить эту слепую, невидимую, глумливую — имени Роберта

Горна — мясоразделочную машинку. Выиграть у нее, по определению, невозможно — так хоть иногда хорошенько накалывать ее — пусть даже на кратком, мгновенном этапе.

И мне плевать, что все поголовно отравлены стоками сенильного века.

Жажду восторга, безумства, куртуазности, куража, шпаг, рапир, вольтижировки, исторгать и заглатывать сердцем огонь.

И не укатают сивку — никакие крутые горки.

Торжественно обещаю.

...Терять ногу на войне, руку на охоте, глаз на дуэли, девственность на... ох, как много на то великолепных вариантов, как вообще много на свете всего! Но девственность, как и жизнь, одна, поэтому надо идти не на ту войну, куда тащат тебя за волосья предводители макак, — на такую войну не надо идти ни в коем случае! — а идти надо на такую войну, какую ты выбрал для себя сам.

И там — запрещено убивать, а вот покорять — обязательно.

...Любить женщин в узких лифах — носить велюровую шляпу бутылочной зелени — вставать и ложиться, когда хочешь, где хочешь, как хочешь, с кем хочешь — или не вставать, не ложиться — нигде и ни с кем.

А коли завершить о моих персонажах... О моих играх... Здесь я не так привередлив. Не все ли мне равно, «из какого сора» (мне досталось лепить эти торсы, головы и зады)? Моча зловонна, кристаллы алмазны.

ЖОРА ЖИРНЯГО

Том Сплинтер, транссексуал и бродяга, приносит свои искренние excuses, ежели кто-то, по независящим от Автора причинам, маленько тут зашиблен оказался — то есть увидел в этой книге не то, не того, не так, не тех.

(Впрочем, ежели даже себя узрел, читать будет всё равно, не оторвется. Велика сила гравитации!) Где ты была сегодня, киска? У королевы у английской. Что ты видала при дворе? Видала мышку на ковре.

The Last News.

Нынче Жора весит больше, чем полтора трактора «Беларусь».

Его администратор уже обратился с заявкой в телешоу Джерри Спрингера.

* * *

P. S. ...А где же свет?! — законно возопит обманутый в своих лучших думах и чаяниях читатель. — Где свет?! Где свет?!

...Я вызвал электрика, он поковырялся где-то наверху — и воссиял свет.

2002 г.

Оглавление

Литературно-художественное издание

ПРИНЦЕССА СТИЛЯ

Марина Палей

ЖОРА ЖИРНЯГО

Издано в авторской редакции
Ответственный редактор *О. Аминова*
Ведущий редактор *Е. Неволина*
Выпускающий редактор *А. Дадаева*
Художественный редактор *С. Власов*
Технический редактор *Г. Романова*
Компьютерная верстка *Е. Кумшаева*
Корректор *Н. Сикачева*

ООО «Издательство «Эксмо»
127299, Москва, ул. Клары Цеткин, д. 18/5. Тел. 411-68-86, 956-39-21.
Home page: **www.eksmo.ru**   E-mail: **info@eksmo.ru**

Подписано в печать 04.09.2012.
Формат 84x108^1/$_{32}$. Печать офсетная.
Гарнитура «Нью-Баскервиль». Усл. печ. л. 16,8.
Тираж   3100   экз. Заказ 9583.

Отпечатано в ОАО «Можайский полиграфический комбинат».
143200, г. Можайск, ул. Мира, 93.
www.oaompk.ru, www .оаомпк.рф тел.: (495) 745-84-28, (49638) 20-685

ISBN 978-5-699-59231-9